No le tenga miedo al dedo

Todo lo que un hombre debe saber sobre su próstata

D1262455

NO LE TENGA MIEDO AL DEDO
Todo lo que un hombre debe saber
sobre su próstata

Segunda edición actualizada

DOCTOR RENÉ SOTELO N.
Edición corporativa VINMA SC
RIF: J404971122
© 2015

EDITORA LITERARIA
Marielba Núñez

COORDINACIÓN EDITORIAL
Patricia Gásperi de Sotelo
Gisela Borjas de Rangel

DIAGRAMACIÓN, DISEÑO GRÁFICO E INFOGRAFÍAS
María Fernanda Guédez
Reinaldo Pacheco
Gráfico R7, C.A.
grafico_r7@yahoo.com

CONCEPTO DE PORTADA
Fernando Batoni
Luis Oropeza

CORRECCIÓN DE TEXTO
Magaly Pérez Campos

FOTOGRAFÍAS
Daniela Sotelo
Francisco Gómez Gásperi
Dr. Andrés Hernández Porras
Luis G. Rangel H

IMPRESIÓN
Papelería Rotospeed, C.A.

ISBN: 978-980-7774-00-0
DEPÓSITO LEGAL: lf25220156003631

No le tenga miedo al dedo

Todo lo que un hombre debe saber sobre su próstata

Dr. René Sotelo
Dr. Juan Arriaga
Dr. Inderbir S. Gill
Dr. Raed A. Azhar

Agradecimientos

Los autores queremos agradecer a todos aquellos profesionales que han hecho posible esta segunda edición actualizada. De manera muy especial al Dr. Inderbir S. Gill y al Dr. Raed A. Azhar, de la Escuela de Medicina Keck de la Universidad del Sur de California, por sus invaluables aportaciones científicas; al Dr. Juan Arriaga A., por su participación como coautor y traductor; a Magaly Pérez Campos, correctora de estilo; a Reinaldo Pacheco y María F. Guédez, diseñadores gráficos responsables del diseño e infografías, y a todos aquellos que con su esfuerzo hicieron posible que esta edición haya salido a la luz.

PRÓLOGO A LA SEGUNDA EDICIÓN

Por Laureano Márquez
Humorista venezolano

Este es un prólogo extraño porque, además de servir de antesala a la segunda edición de este indispensable libro del Dr. René Sotelo —una autoridad reconocida internacionalmente en el área de la urología y muy particularmente en lo que al cáncer de próstata toca— es un prólogo sobre un prólogo. Me explico: el título tan inusualmente académico de este libro tiene mucho que ver con esa deformación que cargamos encima los latinoamericanos y que se conoce comúnmente con el nombre de *machismo*. El machismo no es solo una actitud de prepotencia masculina en relación con la mujer, sino también esa necia convicción, tan ancestralmente enraizada, de que hay situaciones que podrían poner en cuestión la virilidad de un hombre. Uno de los tabúes más comunes a los que nos enfrentamos los varones es el examen de próstata, que en la mayor parte de los casos conlleva el inevitable tacto que practica el especialista. Son muy frecuentes las bromas en torno a que la selección del urólogo debe hacerse no tanto por su currículo como por sus manos.

Consciente de esto, el Dr. Sotelo le encargó a un humorista que le pusiera nombre a su libro dedicado al tema de la próstata, esa glándula cuya única función parece ser la de amargarnos la vida después de los cuarenta. Dicho humorista fue el ilustre Oscar Yanes, quien sufrió en vida los rigores del cáncer de próstata, fue paciente de especial afecto para el Dr. René Sotelo y autor del prólogo a la primera edición de este libro. Yanes tenía una especial gracia para poner nombres y le sugirió a su urólogo que se dejara de rodeos y simplemente le pusiera *No le tenga miedo al dedo*, porque —según Oscar— no hay cosa que más le moleste a la gente que el guabineo (una expresión muy popular en Venezuela que viene del nombre de un pez: la guabina, muy difícil de atrapar porque se resbala entre las manos), y porque donde menos debe haber vacilaciones es frente a un tema tan delicado como el de la próstata. Fue así como el Dr. René Sotelo no guabineó y no le tuvo miedo al título.

Vuelve nuestro querido galeno a recurrir al auxilio del humor y le ha encargado a otro humorista que le introduzca la segunda edición de su exitoso libro; y yo, ni corto ni perezoso, me he colocado los guantes y he procedido. No me ha quedado de otra: si a alguien no debe uno contrariar es a su urólogo. Él, como médico, conoce mejor que nadie la fuerza que el humorismo tiene para derrotar los miedos y los complejos tan hondamente arraigados en el ser humano.

La palabra humor es, además, como se ha dicho tantas veces, un término de origen médico. Los antiguos griegos pensaban que la salud se sustentaba en el equilibrio de los humores (los líquidos básicos del cuerpo humano, a saber: sangre, flema, bilis amarilla y bilis negra). También pensaban que el alma se alojaba en el diafragma, que es el músculo que ejercitamos cuando nos reímos, de donde se desprende el vínculo esencial entre alma y alegría. Tampoco son un secreto para nadie las propiedades curativas de la risa. Así, pues, no luce descabellado que seamos los humoristas quienes lo acerquemos a este libro que conjuga el rigor académico con la explicación sencilla que nos permita, a los legos, entender de qué se trata esta misteriosa, oculta y enigmática próstata.

Una de las bondades de este libro es que resume lo que debemos saber los que no somos especialistas pero tenemos próstata, que exige atención. Esto nos ayuda a ir al doctor mejor documentados para aliviar la penuria de tener que buscar una segunda opinión. Porque, en esta materia y por más moderno y desinhibido que se sea, lo menos que uno quiere son segundas y terceras opiniones.

Sé que la naturaleza es sabia y que uno no debe ponerse exigente con el tema de la evolución, pero es inevitable preguntarse: ¿qué costaba colocar la próstata fuera del cuerpo —junto a los testículos, por ejemplo—, siguiendo aquella popular conseja que dice: "donde caben dos, caben tres"? No está en nuestras manos cambiar la disposición de nuestros órganos (con ciertas excepciones que acaparan las damas), pero sí el cuidar su vida útil con la misma entrega y devoción que uno tiene para con su teléfono móvil.

Creo que lo que el Dr. Sotelo pretende en definitiva es que usted, lector (o lectora, porque son las mujeres las que siempre prestan mayor atención a la salud de los hombres a los que aman), vea sin tabúes la necesidad de hacerse controles periódicos para prevenir el cáncer de próstata, que es una de las principales causas de muerte en los hombres. Para ello recurre a este título cargado de humor, con el objeto de que aprendamos a reírnos de nuestras adversidades como vía para tomar conciencia de ellas y no descuidarnos.

El libro que usted tiene en sus manos, querido lector, puede literalmente salvarle la vida. Es producto de años de investigación del Dr. Sotelo y de su equipo. Recoge una amplia experticia médica basada en los innumerables casos que le ha tocado atender. Sin duda este libro, como el humor, le ayudará a vivir una vida mucho más plena y feliz. Vaya de inmediato al índice y se dará cuenta.

Contenido

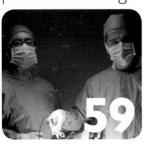

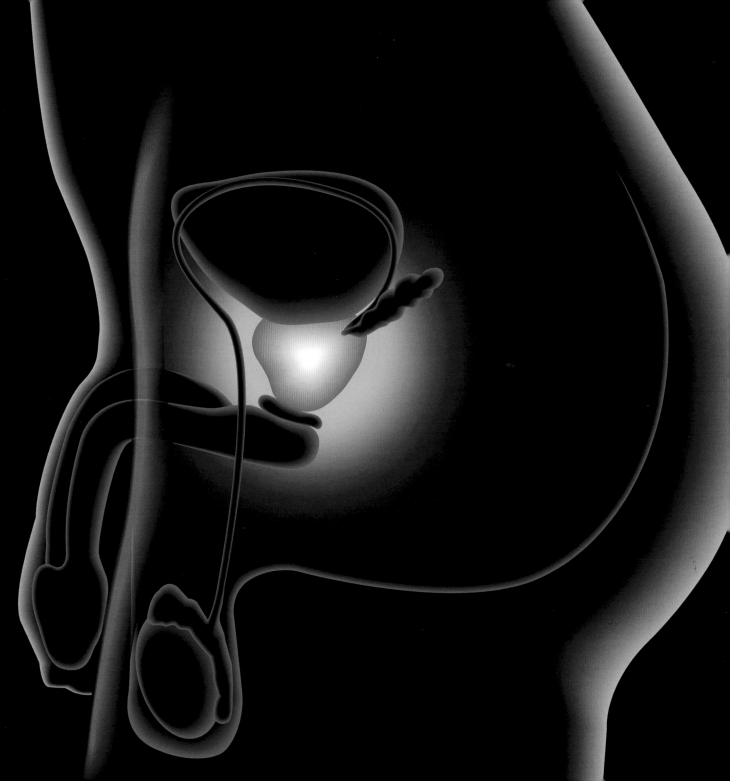

INTRODUCCIÓN

Dr. René Javier Sotelo Noguera

INTRODUCCIÓN

Probablemente está leyendo este libro porque usted, o su familiar, acaba de ser diagnosticado con alguna enfermedad prostática y le interesa saber mucho más sobre este tema. Sin embargo, querer entender las enfermedades sin contar con una orientación adecuada y confiable puede ser abrumador en estos días, debido a que la internet, la televisión y la prensa nos saturan con información que va, desde estudios científicos realizados en alguna parte del mundo, hasta historias inspiradoras de sobrevivientes del cáncer, pasando por múltiples mitos y rumores acerca de las enfermedades de la próstata. Entonces, ¿cómo seleccionar e interpretar toda esa información disponible? Bueno, pues este libro tiene como finalidad ayudar a los pacientes y a sus familiares a conocer y comprender su diagnóstico, así como sugerir la mejor decisión de tratamiento de acuerdo con las normas médicas internacionales vigentes y con un sentido altamente humano, obtenido de nuestra larga experiencia profesional.

Hemos realizado nuestro mejor esfuerzo para transmitirle solo la información relevante y necesaria en un lenguaje sencillo pero preciso. Estamos seguros de que será de gran ayuda para usted y los suyos.

¿Qué es la próstata?

Es un órgano masculino que se localiza por delante del recto y por debajo de la vejiga. Está formado por células especializadas en producir el líquido del semen, el cual protege y nutre a los espermatozoides.

Consta de dos partes:

1 *Porción externa*
Representa el **30%** del órgano, está constituida por tejido fibromuscular y está recubierta por lo que se conoce como cápsula, que es una delgada membrana de tejido fibroso.

2 *Porción interna*
Formada por glándulas y conductos, constituye el **70%** restante.

Se divide en dos lóbulos:
Derecho e izquierdo, los cuales están separados por un surco medio que es palpable a través del tacto rectal.

Corte y vista frontal

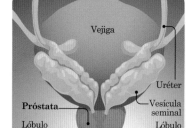

Vejiga — Orificio del uréter
Uretra
Próstata
1
2

Vista posterior

Vejiga
Próstata
Lóbulo izquierdo
Uretra
Uréter
Vesícula seminal
Lóbulo derecho

¿Dónde está la próstata?

La próstata se localiza debajo de la vejiga, detrás del hueso del pubis y delante del recto. Rodea la primera parte de la uretra, el conducto por donde se evacuan la orina y el semen. A ambos lados hay nervios y vasos sanguíneos.

Debajo de la próstata se encuentra un conjunto de fibras musculares circulares que constituyen el esfínter urinario y que evitan la salida de la orina al toser, al moverse o al realizar actividades físicas.

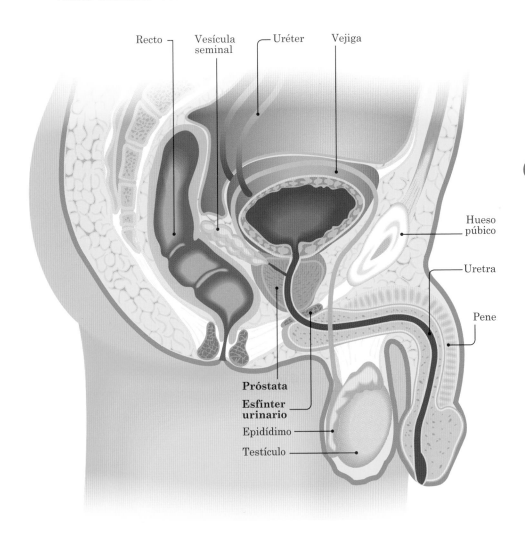

Recto — Vesícula seminal — Uréter — Vejiga — Hueso púbico — Uretra — Pene — **Próstata** — **Esfínter urinario** — Epidídimo — Testículo

Una característica de la próstata es que, durante las diferentes etapas de la vida, va aumentando de tamaño: en el nacimiento, la próstata tiene el tamaño de un frijol; después, tanto en la infancia como en la adolescencia, sigue creciendo hasta la edad adulta, cuando llega a medir aproximadamente 3 centímetros de largo, 4 centímetros de ancho y 2 centímetros de espesor y entonces pesa alrededor de 20 gramos. Mantiene ese volumen hasta que el hombre llega a los 45 años de edad, cuando comienza a crecer nuevamente, lo cual puede ocasionar una reducción en la luz de la uretra y, por lo tanto, dificultades para el vaciamiento de la orina o micción.

Para su estudio, a la próstata se la divide en 5 áreas: área central, periuretral, transicional, periférica y fibromuscular.

Tamaño y peso

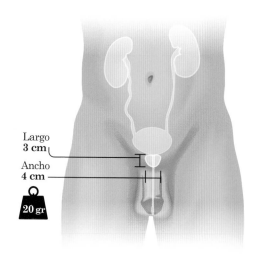

Largo
3 cm
Ancho
4 cm

20 gr

Áreas de la próstata

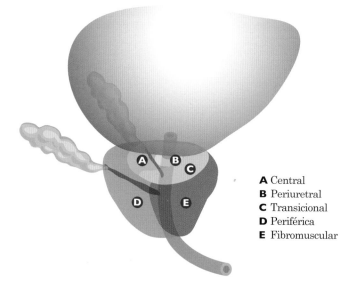

A Central
B Periuretral
C Transicional
D Periférica
E Fibromuscular

¿Para qué sirve la próstata?

Aunque todavía la medicina tiene por delante el reto de esclarecer completamente el papel de la próstata, se sabe que sobre ella recaen dos importantes funciones biológicas: producir una buena cantidad de la parte líquida que compone el semen y secretar sustancias nutritivas vitales para los espermatozoides y, por lo tanto, para la reproducción.

Relación con el sistema reproductor

La próstata forma parte de la ruta que el semen tiene que seguir durante la eyaculación (la expulsión de semen a través de la uretra y hacia fuera del organismo). Los espermatozoides, que se originan en los testículos, viajan a través del conducto deferente y luego pasan por la uretra, que, como un túnel, atraviesa la próstata de un extremo a otro. Las vesículas seminales, por su parte, producen un líquido que también se drena dentro de la próstata. La uretra conduce este líquido hacia el exterior.

Durante el orgasmo, el líquido prostático se mezcla con el de las vesículas seminales y se une con el esperma para formar el semen. Las contracciones del músculo prostático hacen posible la eyaculación.

Relación con el sistema urinario

Una vez que los riñones filtran la sangre para limpiarla de las impurezas, producen la orina, que se almacenará en la vejiga para luego viajar por la uretra hacia el exterior. Precisamente porque la uretra atraviesa la próstata, cualquier crecimiento de esta última la va a comprimir y va a causar dificultades para orinar.

Al igual que todos los órganos del cuerpo humano, la próstata puede verse afectada por varias enfermedades. Entre ellas, las más frecuentes son la inflamación de diferentes orígenes (prostatitis); el crecimiento benigno que produce obstrucción, llamado hiperplasia prostática benigna (HPB), y el cáncer.

Dato

Otra de las características de la próstata es que se trata de un órgano al que se puede tener fácil acceso mediante un examen rápido y sencillo a través del recto. Todos los problemas mencionados pueden ser diagnosticados oportunamente si se hace una visita periódica al urólogo. Además, con un tratamiento a tiempo puede evitarse el deterioro de otros órganos y el avance de las enfermedades.

CONSULTA CON EL URÓLOGO

Dr. René Javier Sotelo Noguera
Dr. Juan Arriaga Aguilar

CONSULTA CON EL URÓLOGO

¿El urólogo solo atiende enfermedades de los hombres?

El urólogo es especialista en las enfermedades de la vía urinaria, la cual está compuesta por los riñones, los uréteres, la vejiga y la uretra, presentes tanto en el hombre como en la mujer, por lo que puede atender a ambos. El urólogo también se especializa en atender las enfermedades genitales del hombre —aquellas que afectan el pene, los testículos o la próstata—, y las que se relacionan con la función sexual masculina.

¿Cuándo consultar con el urólogo?

Siempre que se sospeche de alguna enfermedad de la vía urinaria, como infecciones, litiasis (piedras), incontinencia o tumores, entre otras, se debe consultar al urólogo. En cuanto a las enfermedades prostáticas, la primera consulta se debe realizar a partir de los 50 años, independientemente de sospecha o no de enfermedad, a menos que el paciente tenga mayor riesgo de padecer cáncer de próstata, como ocurre en los varones de la población afroamericana o en aquellos que tienen familiares directos (hermanos, padres o abuelos) que han sufrido esta enfermedad. En estos casos es recomendable que acudan a la primera consulta a partir de los 40 años.

La consulta con el urólogo es la primera parte de la evaluación. En ella el médico hará un interrogatorio general acerca de los datos personales del paciente, la edad, los antecedentes de enfermedades personales y familiares, así como preguntas específicas sobre la sospecha de enfermedades urológicas, haciendo énfasis sobre las molestias urinarias. Posteriormente habrá de realizar una exploración física completa y, con base en los hallazgos, solicitará los estudios de laboratorio y/o de imágenes pertinentes.

El urólogo puede atender tanto al hombre como a la mujer

Síntomas de las enfermedades prostáticas

En general se pueden dividir en síntomas irritativos y obstructivos.

Entre los irritativos se encuentran:

Disuria (ardor al orinar): se llama así a la presencia de dolor y/o ardor durante la salida de la orina. Puede ser al principio de la micción, al final o durante la salida de todo el chorro urinario y puede significar infección de la vía urinaria, entre otras cosas.

Polaquiuria (frecuencia): es el hecho de ir a orinar frecuentemente y, la mayoría de las veces, en poca cantidad. Se puede acompañar de sensación de vaciamiento incompleto y está relacionada con la incapacidad de la vejiga para vaciarse completamente y expulsar toda la orina.

Urgencia urinaria: es el deseo apresurado e inmediato de orinar, a menudo asociado con incontinencia urinaria (salida involuntaria de orina).

Tenesmo: sensación de vaciamiento incompleto. El paciente siente la necesidad de seguir pujando para terminar de orinar pero ya no hay salida de orina.

Entre los síntomas obstructivos se encuentran:

Pujo: el paciente está en posición de orinar pero no logra la salida espontánea de orina, por lo que necesita emplear los músculos abdominales para pujar una o más veces antes de iniciar la micción.

Adelgazamiento y debilidad del chorro urinario: es la disminución del calibre y de la fuerza del chorro urinario. Habitualmente este signo es gradual e imperceptible, tanto que al paciente, después de cierto tiempo, le puede parecer normal que el chorro se encuentre delgado y sin fuerza.

Goteo postmiccional: es la salida involuntaria de algunas gotas de orina después de que el paciente ha terminado la micción voluntaria.

Nicturia (orinar varias veces durante la noche): es el aumento en el número de veces que el paciente tiene que orinar durante la noche. Se debe a que la vejiga no vacía completamente la orina durante las micciones del día y continúa vaciando durante la noche.

Además de preguntar por los síntomas anteriores, el urólogo emplea algunos cuestionarios dirigidos a recoger información sobre problemas particulares.

Estos formularios están avalados y certificados por organizaciones científicas internacionales y permiten que todos los urólogos compartan las mismas escalas al momento de elegir un tratamiento.

Ahí se recogen datos subjetivos y se convierten en variables numéricas que permiten medir y cuantificar en una forma más precisa y objetiva. Esta escala numérica, además de cuantificar el grado de afectación inicial, permite medir objetivamente los efectos del tratamiento.

El siguiente es un cuestionario que evalúa el grado de obstrucción urinaria por enfermedad prostática y se conoce como el *International Prostate Symptom Score IPSS* (Escala internacional de puntuación de los síntomas prostáticos).

ESCALA DE PUNTUACIÓN DE LOS SÍNTOMAS PROSTÁTICOS

Durante los últimos 30 días	Ninguna	Menos de 1 vez de cada 5	Menos de la mitad de las veces	La mitad de las veces	Más de la mitad de las veces	Casi siempre
¿Cuántas veces ha tenido la sensación de no vaciar completamente la vejiga al terminar de orinar?	0	1	2	3	4	5
¿Cuántas veces ha tenido que volver a orinar en las dos horas siguientes después de haber orinado?	0	1	2	3	4	5
¿Cuántas veces ha notado que, al orinar, paraba y comenzaba de nuevo varias veces?	0	1	2	3	4	5
¿Cuántas veces ha tenido dificultad para aguantarse las ganas de orinar?	0	1	2	3	4	5
¿Cuántas veces ha observado que el chorro de orina es poco fuerte?	0	1	2	3	4	5
¿Cuántas veces ha tenido que apretar o hacer fuerza para comenzar a orinar?	0	1	2	3	4	5
	Ninguna	1 vez	2 veces	3 veces	4 veces	5 veces
¿Cuántas veces suele tener que levantarse para orinar desde que se va a la cama por la noche hasta que se levanta por la mañana?	0	1	2	3	4	5
Puntuación total						
Nivel de puntuación		1 - 7: leve	8 - 19: moderado		20 - 35: severo	

Calidad de vida con enfermedad prostática	Encantado	Complacido	Satisfecho	Más o menos satisfecho	Insatisfecho	Descontento	Muy mal
¿Cómo se sentiría si tuviera que pasar el resto de la vida con los síntomas prostáticos tal y como los siente ahora?	0	1	2	3	4	5	6

Barry MJ et al. The American Urological Association Symptom Index for Benign Prostatic Hyperplasia J Urol 148, No. 5 (1992): 1549-57.

Para pacientes con trastornos de la erección existe un **formulario de salud sexual masculina** (*Sexual Health Inventory for Men SHIM*). Es una escala ampliamente utilizada en la práctica clínica para la detección y el diagnóstico de la disfunción eréctil y su severidad, así como para valorar la respuesta a los tratamientos.

En cuanto al desempeño sexual masculino, los siguientes son algunos de los síntomas sobre los que el urólogo puede interrogar en los casos necesarios.

Eyaculación precoz
(Expulsión anticipada de semen):
Corresponde a la expulsión de esperma anticipada e involuntaria; es un trastorno común en los hombres jóvenes y se caracteriza por la expulsión rápida de esperma, que puede darse incluso antes de introducir el pene en la vagina.

Disfunción eréctil
(impotencia sexual):
Es la incapacidad permanente o recurrente de conseguir una erección peneana o de poder mantenerla con la rigidez suficiente para realizar y consumar el coito.

CUESTIONARIO DE SALUD SEXUAL PARA VARONES

¿Cómo clasificaría su confianza en poder conseguir y mantener una erección?	Sin confianza	Muy baja	Baja	Moderada	Alta	Muy alta
	0	1	2	3	4	5
Cuando tuvo erecciones con la estimulación sexual, ¿con qué frecuencia sus erecciones fueron suficientemente rígidas para la penetración?	Sin actividad sexual	Casi nunca o nunca	Menos de la mitad de las veces	La mitad de las veces	La mayoría de las veces	Casi siempre o siempre
	0	1	2	3	4	5
Durante el acto sexual, ¿con qué frecuencia fue capaz de mantener la erección después de haber penetrado a su pareja?	No intento el acto sexual	Casi nunca o nunca	Menos de la mitad de las veces	La mitad de las veces	La mayoría de las veces	Casi siempre o siempre
	0	1	2	3	4	5
Durante el acto sexual, ¿qué grado de dificultad tuvo para mantener la erección hasta el final del acto sexual?	No intento el acto sexual	En extremo difícil	Muy difícil	Difícil	Con cierta dificultad	Fácil
	0	1	2	3	4	5
Cuando intentó el acto sexual, ¿con qué frecuencia fue satisfactorio para usted?	No intento el acto sexual	Casi nunca o nunca	Menos de la mitad de las veces	La mitad de las veces	La mayoría de las veces	Casi siempre o siempre
	0	1	2	3	4	5
Puntuación total						

Clasificación de la disfunción eréctil de acuerdo con la siguiente escala:

1 - 7: severa   **8 - 11: moderada**   **12 - 16: moderada a leve**   **17 - 21: leve**

Rosen RC et al. Development and evaluation of an abridged, 5-item version of the International Index of Erectile Function (IIEF-5) as a diagnostic tool for erectile dysfunction. Int J Impotence Res 1999; 11: 319-326.

¿Por qué se debe examinar la próstata?

La próstata puede ser fuente de diversas enfermedades, como todos los órganos del cuerpo humano. Entre ellas, las más representativas son las causadas por inflamación de diferentes orígenes (prostatitis), así como el crecimiento benigno, llamado hiperplasia prostática, y el cáncer. Afortunadamente, la próstata es un órgano al cual se puede tener fácil acceso mediante un examen rápido y sencillo a través del recto. Todas estas enfermedades pueden ser diagnosticadas rápidamente si se hace una visita periódica de control con el urólogo. Además, pueden ser tratadas a tiempo, lo que evita el deterioro de otros órganos relacionados o el avance de la enfermedad.

¿Qué herramientas existen para su evaluación?

Para la revisión prostática general se cuenta con dos herramientas básicas: el examen digital rectal y un examen realizado en sangre para determinar una sustancia llamada antígeno prostático específico (APE), del que hablaremos en un capítulo especial.

¿Qué es el tacto rectal?

El examen digital rectal consiste en la introducción del dedo índice del urólogo a través del recto del paciente para palpar la porción posterior de la próstata.

Este examen no solamente puede brindarle información al médico acerca de anormalidades en la configuración de la glándula, sino también acerca de su tamaño, consistencia y sensibilidad. Ayuda en el diagnóstico de crecimiento prostático, prostatitis o sospecha de cáncer de próstata.

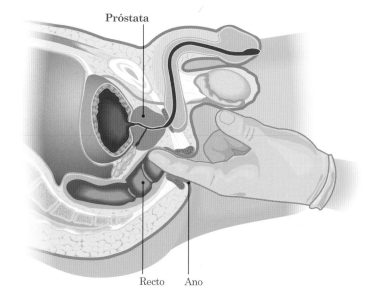

Próstata

Recto   Ano

Pruebas diagnósticas

Una vez realizado el interrogatorio y el examen físico, el urólogo realiza generalmente los siguientes cuatro exámenes:

A *Antígeno prostático específico (APE):* es una sustancia proteica que se produce principalmente en la próstata, que se mide en sangre y cuyo resultado permite estimar la posibilidad de que el paciente tenga cáncer de próstata. Debe solicitarse aun cuando los hallazgos del tacto rectal sean normales, pues existen muchos tumores que debido a su pequeño tamaño no se pueden palpar y solo se diagnostican a partir de la elevación del APE.

B *Examen general de orina:* proporciona información sobre enfermedades y trastornos del riñón y de la vía urinaria; evalúa la presencia de sangre, de proteínas y de cristales en la orina, entre otras cosas. La sangre en la orina puede deberse a cálculos (piedras), a tumores o a infecciones en la vía urinaria e igualmente puede presentarse en algunas enfermedades que afecten el funcionamiento de los riñones; la presencia de cristales puede estar relacionada con trastornos metabólicos que ocasionan cálculos en la vía urinaria y la presencia de proteínas en la orina puede deberse a insuficiencia renal.

C *Cultivo de orina (urocultivo):* este estudio sirve para confirmar una infección urinaria. Se siembra una muestra de orina en un medio de cultivo especial. En caso de existir infección, crecerá el germen infeccioso y se podrán identificar los medicamentos a los que este es sensible o resistente, para indicar el tratamiento más efectivo.

D *Creatinina sérica:* es un examen de sangre que se correlaciona con el funcionamiento de los riñones. Cuando la creatinina se eleva, el médico puede sospechar deterioro de la función renal, lo cual pudiera ser consecuencia de obstrucción prostática o de alguna otra enfermedad como la hipertensión arterial o la diabetes, las cuales se deberán descartar.

25

Otras herramientas que eventualmente pueden ser solicitadas por el urólogo de acuerdo con las circunstancias del paciente son las siguientes:

1 *Uretrocistoscopia:* se trata de un examen relativamente rápido y sencillo que consiste en la introducción de un instrumento cilíndrico provisto de una lente (cistoscopio) que sirve para ver a través de la uretra pasando por el esfínter y la próstata, en los hombres, hasta la vejiga, con el fin de estudiar enfermedades de dichas estructuras. Antes de iniciar el estudio, se aplica un gel anestésico a través de la uretra para prevenir el dolor.

Cistoscopio Flexible

- Los modernos instrumentos flexibles se adaptan a la forma natural de la uretra y se deslizan con facilidad a través de ella hasta la vejiga.

- Esto ocasiona menos molestias para el paciente al mismo tiempo que proporcionan excelente calidad de imagen.

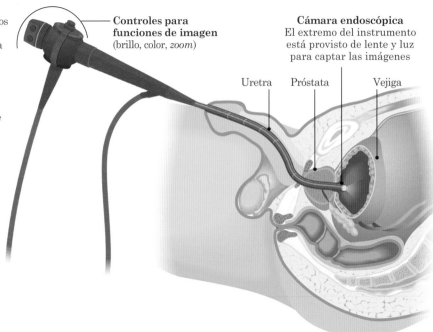

Controles para funciones de imagen (brillo, color, *zoom*)

Cámara endoscópica El extremo del instrumento está provisto de lente y luz para captar las imágenes

Uretra   Próstata   Vejiga

26

2 *Flujometría:* es un estudio que permite determinar la velocidad con la que la orina es expulsada. Se realiza de manera simple: se pide al paciente que orine en un recipiente mientras sensores de flujo reportan la velocidad con que la vejiga expulsa la orina. La velocidad normal es de más de 15 ml/segundo. Velocidades inferiores permiten suponer un cuadro obstructivo o defectos propios de la vejiga, que hacen que esta no pueda propulsar la orina con la suficiente presión para que sea eliminada a una velocidad normal.

3 *Urodinamia:* es un estudio que permite determinar el funcionamiento de la vejiga y su capacidad para expulsar la orina. También evalúa la coordinación nerviosa vesical con el conducto de salida, la uretra. Este estudio requiere la colocación de sondas a través de la uretra y el recto. Se indica cuando se sospecha que los síntomas no se deben al crecimiento prostático, sino a un deterioro de la función vesical, por ejemplo, los que ocurren por enfermedades neurológicas (derrames cerebrales, diabetes *mellitus*).

4 *Medición de orina residual postmiccional:* consiste en la determinación de la cantidad de orina que queda depositada en la vejiga después de que el paciente orina. Su valor normal debe ser menor a los 50 mililitros. Valores superiores implican que hay un vaciamiento incompleto, bien sea por obstrucción del flujo o por incapacidad de la vejiga para expulsar la orina por completo. La medición puede realizarse con el paso de una sonda lubricada hasta la vejiga o mediante métodos no invasivos como el ultrasonido, aunque este último puede dar valores diferentes a los reales en algunos casos. La cantidad de orina residual le permite al médico estimar el grado del problema, medir la respuesta a los tratamientos ya implementados e incluso valorar la necesidad de tratamiento.

5 *Urografía intravenosa:* es un examen radiológico que consiste en inyectar un medio de contraste en la sangre, que se eliminará a través de los riñones, para posteriormente tomar varias radiografías, que mostrarán el paso del líquido a través de toda la vía urinaria. Este estudio diagnóstico, que ha sido de referencia para muchas enfermedades urológicas, se usa cada vez menos, por el advenimiento de técnicas más modernas como la tomografía axial computada (TAC) o la resonancia magnética (RM), las cuales proporcionan igual o mayor información, exponen al paciente a menos radiación y, además de evaluar por completo la vía urinaria, también permiten apreciar las características de los órganos vecinos.

6 *Ultrasonido:* para realizar un estudio ultrasonográfico se coloca un transductor sobre la piel y este transmite las imágenes a una pantalla. Permite la completa visualización de la vía urinaria pero no aporta datos sobre la función renal. Tiene las ventajas de que no requiere equipamiento complejo ni se expone el paciente a radiación. Sin embargo, tiene la desventaja de que la interpretación depende del entrenamiento y la experiencia que tenga el médico radiólogo para identificar las áreas sospechosas. El ultrasonido representa la mejor herramienta para tomar biopsias de la próstata, lo que se explicará ampliamente en el capítulo dedicado al tema.

Después de haber realizado un interrogatorio completo y una exploración física adecuada, el urólogo estará en capacidad de formular un diagnóstico y de recomendar el mejor tratamiento.

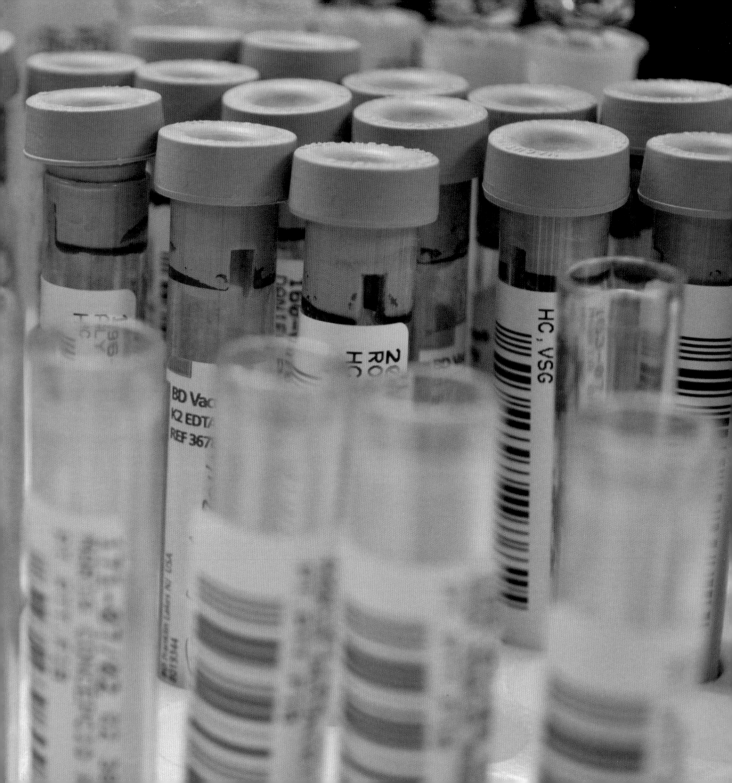

ANTÍGENO PROSTÁTICO ESPECÍFICO (APE)

Dr. René Javier Sotelo Noguera
Dr. Mario José Saldaña Guajardo

ANTÍGENO PROSTÁTICO ESPECÍFICO
Prueba del APE. ¿Qué es y para qué sirve?

Las células epiteliales del tejido prostático producen una proteína conocida como antígeno prostático específico (APE), la cual tiene como función licuar el semen eyaculado y convertirlo en un medio adecuado donde los espermatozoides puedan movilizarse libremente; también se cree que otra de sus tareas es disolver el moco vaginal y del cuello uterino para facilitar la entrada a los espermatozoides y así permitirles llegar a su destino. Se trata de una sustancia proteica que inicialmente se encontró solo en el fluido seminal; posteriormente se ha localizado también en otros tejidos como el páncreas y el tejido mamario, aunque en cantidades mínimas.

El antígeno prostático específico se produce en la próstata y circula en la sangre por todo el cuerpo. La cantidad que circula en la sangre puede aumentar por diferentes causas, entre ellas el cáncer de próstata, el crecimiento benigno de la glándula relacionado con el envejecimiento y algunos procesos infecciosos que afecten a la próstata.

Se extrae una muestra de sangre que es analizada en el laboratorio.

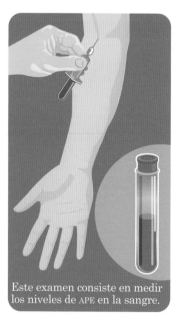

Este examen consiste en medir los niveles de APE en la sangre.

● APE **libre** (no ligado)   ● APE **conjugado** (ligado a otra proteína)

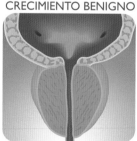

NORMAL

Vejiga

Uretra
Próstata

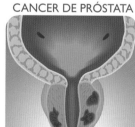

CRECIMIENTO BENIGNO

CANCER DE PRÓSTATA

APE total bajo
y APE libre normal

APE total elevado
y APE libre normal

APE total elevado
y APE libre bajo

El antígeno prostático específico fue descubierto en 1979, pero su utilidad clínica no se identificó sino hasta una década después. Antes de conocerlo, los urólogos empleaban solo el tacto rectal y algunas pruebas indirectas de sangre, como la fosfatasa ácida prostática, cuando sospechaban de cáncer prostático. Actualmente, el APE es el marcador tumoral más utilizado en la medicina contemporánea y, junto al tacto rectal y a la ecografía prostática transrectal, representa la mejor forma de identificar pacientes con alto riesgo de estar padeciendo cáncer prostático, sobre todo en etapas tempranas, que es cuando se tienen más posibilidades de curación.

En los países desarrollados, se estima que **3 de 4 hombres mayores de 50 años se han realizado alguna vez el estudio del APE**, lo cual ha permitido diagnosticar y tratar a pacientes con cáncer de próstata en estadios tempranos y, de este modo, disminuir la mortalidad por cáncer de próstata.

 Dato

Como marcadores tumorales se conocen aquellas sustancias que pueden detectarse en la sangre, orina u otros tejidos, cuya presencia en una concentración superior a la normal puede indicar la existencia de un tumor canceroso. Aunque esa concentración anormal pueda sugerir la presencia de cáncer, esto por sí mismo no es suficiente para diagnosticarlo, por lo que su utilidad se reduce a dar indicios para hacer un diagnóstico o para valorar la evolución de un tumor ya detectado por otros procedimientos. La mayor parte de los marcadores tumorales pueden ser producidos también por células normales, por lo que pueden dar falsos positivos. Igualmente, algunas enfermedades no cancerosas causan que los niveles de ciertos marcadores tumorales se incrementen.

Ya se sabe que el APE se puede formar tanto a partir de una célula prostática benigna como de una célula prostática cancerosa, por lo que es de suma importancia saber traducir la presencia y las características del antígeno que se detecte en la sangre. Debido a eso y a que hasta un 25 % de los cánceres no alteran la concentración de APE, es importante diferenciar el comportamiento de esta sustancia en el cáncer y en otras enfermedades benignas de la próstata.

Los resultados de los análisis de APE indican su concentración en la sangre. No es necesario el ayuno para realizar la prueba en el laboratorio. El resultado generalmente se reporta en nanogramos de APE por cada mililitro de sangre (ng/ml) y puede variar un poco entre un laboratorio y otro. Por eso es recomendable escoger un laboratorio de calidad y hacer el examen siempre allí.

Algunos medicamentos, como el finasteride y el dutasteride (empleados para tratar la enfermedad benigna de la próstata), algunos procesos infecciosos, como la prostatitis o incluso traumatismos en la uretra, como la colocación de sondas o dilatadores, o los traumatismos como los que sufren los ciclistas de alto rendimiento, pueden modificar los valores del APE. Es importante tener en cuenta que, en hombres mayores de 50 años, la eyaculación incrementa momentáneamente el nivel tanto de antígeno libre como del total, que retornan a valores normales en 24 horas, razón por la que se recomienda abstenerse de relaciones sexuales al menos 2 días antes de la extracción de sangre para el estudio. Al contrario de lo que se ha creído durante años, el tacto rectal no altera significativamente los niveles del APE.

Todas las circunstancias descritas anteriormente permiten ver que un resultado anormal del análisis no indica necesariamente que haya que realizar una biopsia de próstata o que haya cáncer; sin embargo, cuanto más elevada sea la concentración de APE, hay más probabilidad de que efectivamente se esté en presencia de un tumor maligno.

Desde el descubrimiento del antígeno prostático específico se han aislado y estudiado varias de sus isoformas. Las más comunes son el APE conjugado (que está unido a un inhibidor de proteasa plasmático) y el APE libre (que circula sin estar unido a ninguna otra molécula). En conjunto suman el APE total.

APE **total**

Resulta de la suma del antígeno que circula de manera libre y del que circula unido a proteínas. Se estima que los valores normales son alrededor de 0,7 ng/ml en hombres menores de 50 años; de 0,9 ng/ml para hombres entre los 50 y 60 años; de 1,2 ng/ ml para hombres de 60 a 70 años y de 1,5 ng/ml para hombres mayores de 70 años. Evidentemente, el proceso natural de envejecimiento aumenta el tamaño de la glándula prostática y en consecuencia aumenta la cantidad de APE total en sangre.

Pacientes mayores de 60 años con próstatas grandes pueden presentar valores por encima de lo normal sin que esto signifique la presencia de cáncer de próstata.

Ejemplo:
2 pacientes con el mismo APE total (9 ng/ml) pero uno de ellos con la relación APE libre/APE total disminuida.

Valor del APE total: 9 ng/ml (APE libre + APE conjugado)

CRECIMIENTO BENIGNO

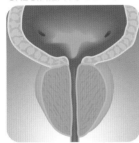

El proceso natural de envejecimiento aumenta el tamaño de la glándula prostática y en consecuencia aumenta la cantidad de APE total en la sangre.

APE **libre**
(no ligado)

APE **conjugado**
(ligado a otra proteína)

CANCER DE PRÓSTATA

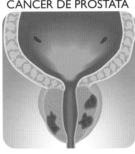

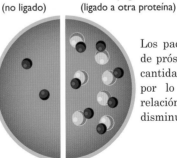

Los pacientes con cáncer de próstata tienen menor cantidad de APE libre, por lo que tienen una relación del APE (RAPE) disminuida.

33

APE **total comparado con** APE **libre**

Aproximadamente del 5% al 35% del APE total se encuentra en forma libre, es decir, circula en la sangre sin estar ligado a ninguna proteína. Los pacientes con cáncer de próstata presentan menor cantidad de APE libre porque la mayoría del antígeno está unido a proteínas mientras circula. Este detalle es de suma importancia, ya que puede ayudar a diferenciar un paciente con cáncer de uno con crecimiento benigno de la próstata: ambos tienen el APE total elevado, pero el que tiene células cancerosas presenta menos APE libre.

El APE libre comprende al menos 3 isoformas que se encuentran en estudio y que probablemente aumenten las posibilidades de realizar diagnósticos más fiables en el futuro.

Además de las concentraciones del APE total y del APE libre, se han descrito otras características del antígeno que también se analizan con fines diagnósticos. Estos indicadores son los siguientes:

Indicadores estáticos

Densidad del APE (DAPE)

Se sabe que cada gramo de tejido prostático sano libera cierta cantidad de APE en la sangre, por lo que es de esperar que pacientes con próstatas de mayor tamaño tengan un APE total por encima de lo normal. La densidad del antígeno prostático específico (DAPE) es la relación que existe entre el APE total y el tamaño de la próstata; su valor se obtiene al dividir el APE total entre los gramos de próstata. Es necesario, por ello, tomar en cuenta que, mientras más grande sea la glándula prostática, tendrá más células productoras de APE y este tendrá un valor mayor, pero si la glándula no es tan grande y tiene un APE elevado, habrá más posibilidades de que ese aumento sea debido a cáncer porque el tejido canceroso produce más APE que el tejido normal. Las estadísticas actuales determinan que un hombre con DAPE mayor a 0,15 tendrá mayor riesgo de tener cáncer que la población general. En cambio, pacientes con próstatas grandes, mayores de 80 gr pueden presentar un APE total elevado pero una DAPE por debajo de 0,10.

Relación del APE (RAPE)

Este porcentaje se obtiene al dividir el valor del APE libre entre el APE total. Mientras más bajo sea el resultado, es mayor la posibilidad de que exista cáncer de próstata, especialmente cuando está por debajo de 0,15 o 15%. Esto es debido a que cuando hay tejido prostático canceroso, la mayoría del antígeno se encuentra circulando unido a proteínas y hay muy poco APE libre; por lo tanto, la RAPE disminuye también.

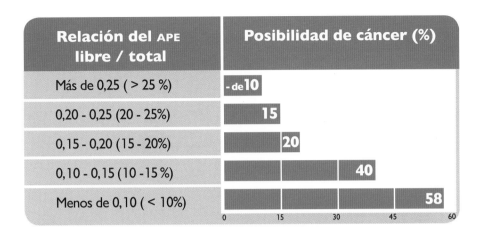

Relación del APE libre / total	Posibilidad de cáncer (%)
Más de 0,25 (> 25 %)	- de 10
0,20 - 0,25 (20 - 25%)	15
0,15 - 0,20 (15 - 20%)	20
0,10 - 0,15 (10 -15 %)	40
Menos de 0,10 (< 10%)	58

2 Indicador dinámico

Velocidad del APE (VAPE)

Consiste en evaluar el comportamiento del APE a través del tiempo, lo que requiere al menos 3 estudios durante 18 meses. Se acepta que el APE se eleve hasta 0,25 ng/ml anuales en hombres que están entre 40 a 59 años; 0,4 ng/ml anuales en hombres de 60 a 70 años, y hasta 0,75 ng/ml anuales en hombres mayores de 70 años. Aumentos de antígeno mayores y persistentes, a cualquier edad, incrementan la sospecha de cáncer de próstata.

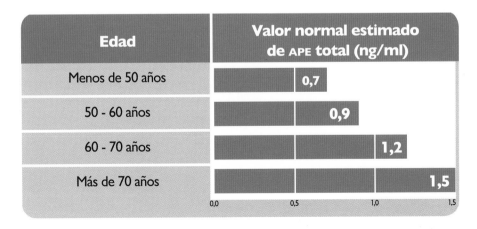

Edad	Valor normal estimado de APE total (ng/ml)
Menos de 50 años	0,7
50 - 60 años	0,9
60 - 70 años	1,2
Más de 70 años	1,5

Futuros marcadores tumorales para el cáncer de próstata

Descubrir y desarrollar nuevos marcadores tumorales para el cáncer de próstata representa un gran reto para la medicina. Aunque constantemente hay nuevos avances, su aplicación suele tomar tiempo. Basta recordar que, luego de su hallazgo, hubo que esperar más de una década para aplicar el APE en la clínica moderna, y así mismo, una década después se reconoce que aún no es el marcador tumoral ideal y que es necesario investigar otras sustancias corporales que permitan diferenciar los grados de agresividad del tumor y poder planear un mejor tratamiento.

En la actualidad, se están realizando múltiples proyectos de investigación concentrados en estudiar diferentes sustancias corporales que puedan convertirse en futuros marcadores tumorales para el cáncer de próstata. Aquí se muestran algunos de los más importantes:

Isoformas del APE

El APE libre comprende al menos 3 variedades de isoformas que han demostrado utilidad diagnóstica en el cáncer prostático. Las más importantes son la ProPSA (Pro Prostatic Specific Antigen, por sus siglas en inglés) y la BPSA (B-Prostatic Specific Antigen).

La presencia de la isoforma ProPSA está relacionada con variedades agresivas de cáncer prostático. Pruebas diagnósticas que la determinen podrían disminuir en el futuro la necesidad de practicar biopsias.

La isoforma BPSA tradicionalmente representa el tejido prostático benigno, de tal manera que la relación que existe entre ProPSA y BPSA ayudaría a mejorar la detección oportuna del cáncer de próstata.

AMACR (alfa metilacil racemasa coenzima A)

Es una sustancia enzimática que se expresa prácticamente en todos los tipos de cáncer de próstata. Se detecta con tinciones histopatológicas especiales y actualmente se utiliza para confirmar el diagnóstico en muestras de tejido obtenidas por biopsia.

Autoanticuerpos (AA)

Recientemente se han descubierto múltiples antígenos específicos para cáncer de próstata así como los autoanticuerpos de estos que se encuentran en el plasma de pacientes a los que ya se ha diagnosticado.

PCA3 (Prostate Cancer Antigen)

Se trata de un gen que se detecta en la orina obtenida después de haber efectuado un tacto rectal. Se ha estimado que en los pacientes con cáncer de próstata, la concentración de este gen es hasta 95 % mayor que en pacientes con tejido prostático sano, por lo que promete ser un examen muy sensible en la detección oportuna de los tumores prostáticos.

 Dato

Aunque la medición del APE se usa principalmente para detectar precozmente el cáncer de próstata, también tiene utilidad clínica en otras situaciones; por ejemplo, en los pacientes con prostatitis que inicialmente presentaban APE elevado y que reciben tratamiento médico, este tiende a disminuir a medida que hace efecto el medicamento y que mejora la sintomatología de la inflamación de la glándula. Igualmente, los pacientes con cáncer de próstata que ya recibieron cirugía, radioterapia u otros tratamientos, y quienes siguen realizándose la prueba del APE como parte del seguimiento tienen más posibilidades de determinar si el tratamiento ha resultado exitoso o si hay recaídas de la enfermedad, tomando en cuenta que el APE tarda de 4 a 6 semanas en disminuir al nivel definitivo. Estos y otros detalles se explicarán detenidamente en los siguientes capítulos.

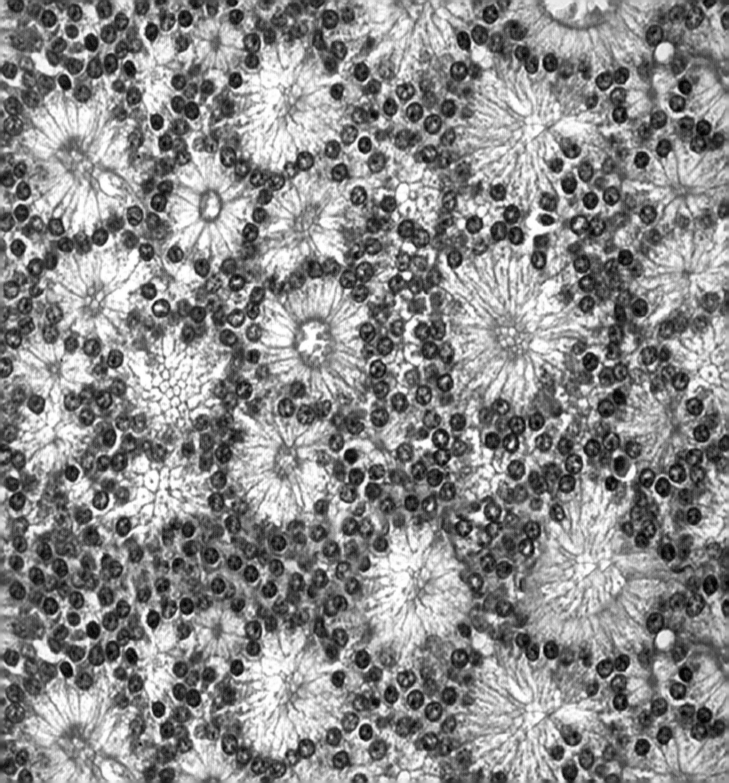

BIOPSIA DE PRÓSTATA

Dr. René Javier Sotelo Noguera
Dr. José Gregorio Saavedra Dugarte
Dra. Ylbia Madrid de Roosen

BIOPSIA DE PRÓSTATA

¿Qué es una biopsia de próstata?

Es el estudio de una muestra de tejido prostático, obtenida con una aguja, para ser analizada al microscopio, con el fin de llegar a un diagnóstico.

¿Quién necesita este procedimiento?

Está indicado en aquellos pacientes en los que existe la sospecha de cáncer de próstata, ya sea porque presenten antígeno prostático elevado o porque el examen digitorrectal reveló áreas en las que la consistencia de la próstata estaba alterada.

¿Quién realiza la biopsia de próstata?

La biopsia es realizada por el urólogo. El procedimiento necesita del uso de un aparato de ultrasonido para guiar la aguja hacia la próstata para tomar las muestras de tejido. Generalmente se realiza con anestesia local.

¿Cuántas muestras se necesitan para el diagnóstico?

En los casos de pacientes que presentan tumores que no se palpan en el examen rectal y de los que solo hay sospecha porque está elevado el antígeno prostático específico, se emplea el método de la biopsia en sextante, que toma 6 fragmentos de cada uno de los 2 lóbulos (derecho e izquierdo) para extraer 12 en total. En los casos en los que la biopsia prostática resulta negativa pero el paciente presenta en controles sucesivos niveles de antígeno prostático en ascenso, se realiza una nueva biopsia, en las que se toman de 8 a 10 muestras por cada lóbulo.

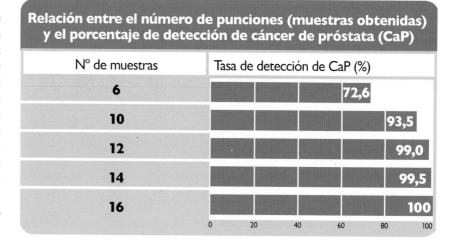

Relación entre el número de punciones (muestras obtenidas) y el porcentaje de detección de cáncer de próstata (CaP)	
N° de muestras	Tasa de detección de CaP (%)
6	72,6
10	93,5
12	99,0
14	99,5
16	100

¿Qué debemos saber sobre el procedimiento?

La ecografía transrectal y biopsia de próstata es un procedimiento que puede resultarle incómodo al paciente, primero por la preocupación de la posibilidad de tener cáncer; después por el hecho de tener que emplear una vía poco común, como lo es el acceso a través del ano y los riesgos potenciales del procedimiento; aún así, debe entenderse que este procedimiento diagnóstico se efectúa siempre cumpliendo todas las medidas preventivas para disminuir los riesgos de las complicaciones y que es la única forma de obtener un diagnóstico temprano del cáncer de próstata.

¿Qué se debe hacer antes de la biopsia?

1   Si toma tratamientos como aspirina o anticoagulantes, debe suspenderlos 10 días antes de la biopsia.

2   Cenar ligero la noche antes de la biopsia y no desayunar ni beber líquidos el día del procedimiento.

3   Al amanecer se procurará la defecación y enseguida se aplicará un enema rectal para completar el vaciamiento y la limpieza del recto, para que el procedimiento sea más seguro.

4   Comenzar a tomar antibióticos la noche antes de la biopsia y continuar la mañana siguiente, con poca agua (un sorbo).

¿Cómo se realiza el procedimiento?

La única forma de determinar la presencia de cáncer en la próstata es examinando microscópicamente una muestra de ese tejido. Ante la sospecha se recurre a la biopsia utilizando el aparato de ultrasonido, mediante el cual se introduce una aguja que hará punciones en zonas equidistantes de la próstata.

La próstata se divide en varias zonas; la más externa o periférica es donde se presenta el cáncer con mayor frecuencia y por lo tanto es la porción en la que se hace mayor énfasis en el momento de tomar la biopsia. El ultrasonido permite hacer un paneo de toda la glándula prostática y garantizar la toma de tejido de todas las porciones.

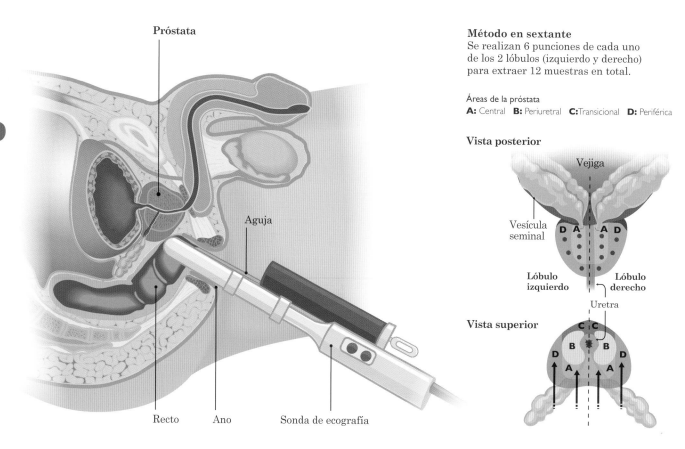

Próstata

Aguja

Recto **Ano** **Sonda de ecografía**

Método en sextante
Se realizan 6 punciones de cada uno de los 2 lóbulos (izquierdo y derecho) para extraer 12 muestras en total.

Áreas de la próstata
A: Central **B:** Periuretral **C:** Transicional **D:** Periférica

Vista posterior

Vejiga

Vesícula seminal

D A **A D**

Lóbulo izquierdo **Lóbulo derecho**

Uretra

Vista superior

C C

B B

D D

A A

Antes se pensaba que el ultrasonido podía ayudar a diferenciar las áreas cancerígenas de las no cancerígenas; sin embargo, el ultrasonido solo permite aproximar y dirigir la aguja a cada una de las distintas zonas para tomar muestras de todas y así ofrecer una mayor posibilidad de encontrar la región afectada. Habrá ocasiones en que, a pesar de toda la experiencia del radiólogo y del urólogo, se tomen muestras de tejido no canceroso aunque exista cáncer dentro de la próstata.

La aguja, a través del ultrasonido, tomará los fragmentos, que serán preservados en formol para luego ser evaluados por el médico anatomopatólogo, quien dará el informe final de lo encontrado. Estos fragmentos tienen forma cilíndrica y cada uno de ellos mide aproximadamente 0,4 mm de ancho por 12 a 15 mm de largo y, a partir de la revisión de cada uno de ellos, el médico anatomopatólogo informará el número de cilindros que resultaron positivos para cáncer y qué porcentaje de tumor contienen; de acuerdo con el resultado de la biopsia, el urólogo puede estimar el comportamiento de la enfermedad para planear el tratamiento más adecuado.

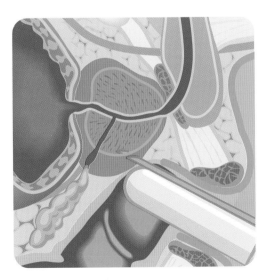

Con la ayuda del ultrasonido, la aguja toma la muestra para ser analizada y evaluada al microscopio por el médico anatomopatólogo.

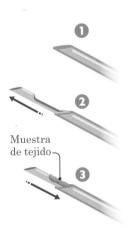

Muestra de tejido

El fragmento de tejido prostático queda contenido dentro del extremo distal de la aguja.

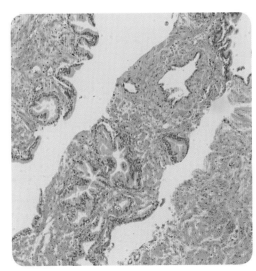

Aspecto microscópico del tejido prostático.

Deficiencias de la biopsia de próstata

En esta era del antígeno prostático específico (APE), el abordaje diagnóstico para confirmar casos de cáncer de próstata puede dar como resultado un sobrediagnóstico de tumores clínicamente sin importancia manejados con el consecuente sobretratamiento, al mismo tiempo que también puede originar el subdiagnóstico de un tumor clínicamente importante manejado con subtratamiento.

El ultrasonido transrectal se usa como el estudio de imagen de elección para la toma de la biopsia de manera generalizada alrededor del mundo. Sin embargo, dicho ultrasonido solo sirve como guía para insertar la aguja en la próstata y tomar muestras de tejido al azar, sin la garantía de que se dirija específicamente a las áreas sospechosas de cáncer en la próstata.

Actualmente, todas las biopsias de próstata se llevan a cabo en ese modo aleatorio tipo "imagen ciega" y, dado que el médico no sabe exactamente dónde está el cáncer, la toma de la biopsia puede llegar a obtenerse de sitios donde no está localizado el cáncer.

En el intento de evitar esto, ahora existen nuevas tecnologías de "biopsia dirigida guiada por imágenes". Estas técnicas innovadoras están disponibles solo en centros altamente especializados y son las siguientes:

Ultrasonido Doppler: Basado en el principio de que es probable que las lesiones cancerosas formen nuevas estructuras vasculares para alimentar a las células malignas, las imágenes del ultrasonido Doppler son capaces de mostrar el aumento del flujo sanguíneo en lesiones cancerosas, ya que identifican el movimiento de la sangre en la región donde se aplica. La superposición de esas imágenes al ultrasonido convencional puede mejorar la exactitud del diagnóstico de cáncer de próstata. Sin embargo, el uso de este ultrasonido Doppler es todavía controvertido en el diagnóstico de cáncer de próstata.

Ultrasonido con elastografía: La elastografía es una aplicación que utilizan los ultrasonidos para medir la elasticidad, la consistencia y la dureza relativa de unos tejidos con respecto a otros. Puesto que el cáncer es una masa del epitelio de la próstata, la rigidez de la lesión cancerosa puede ser más alta que la del tejido normal, por lo que el ultrasonido podría demostrar esta diferencia mediante un código de colores multiparamétricos y proporcionar una mejor oportunidad para ubicar la lesión cancerosa dentro de la próstata.

Histoscanning: El diagnóstico asistido por computadora ya está disponible para la identificación de lesiones de cáncer de próstata. Estos algoritmos novedosos pueden proporcionar más precisión diagnóstica que solo la vista del médico para interpretar la imagen de ultrasonido. Incluso cuando el cáncer no es visible en una imagen de ultrasonido, el algoritmo informático puede sugerir la probabilidad de cáncer, superpuesto a la imagen de ultrasonido para dirigir la aguja de manera más precisa.

Imagen por resonancia magnética (IRM): La IRM se utiliza cada vez más para identificar las áreas dentro de la próstata que son sospechosas de cáncer. La IRM tiene una mayor precisión si el área sospechosa es de un tamaño mayor a los 0.5 cc de volumen que si es más pequeña. Muchos centros en los Estados Unidos actualmente están comenzando a realizar la IRM como parte de la rutinaria diagnóstica para el cáncer de próstata. Los diferentes tipos de imágenes de resonancia magnética disponibles son: 1) T2 DAC ponderada (Coeficiente de difusión aparente), 2) CDE (Contraste dinámico mejorado); y 3) espectroscopia. Estos tipos se utilizan en combinación para mejorar el espectro diagnóstico.

IRM + ultrasonido: La imagen del volumen de la próstata en la tercera dimensión de la resonancia magnética se registra en tiempo real en el ultrasonido, de manera que esta imagen fusionada se utiliza para guiar la aguja de biopsia en la próstata a la lesión sospechosa de una manera más precisa.

¿Qué se debe hacer después de la biopsia?

1 Mantener reposo. El paciente debe permanecer en su casa con escasa actividad física durante 24 horas. No debe montar bicicleta, moto, caballo ni realizar viajes largos en una semana.

2 Tomar antibióticos. Al paciente se le indica la administración de antibióticos por vía oral. Este tratamiento debe cumplirse cabalmente para evitar infecciones.

3 Tomar analgésicos. Según el caso, se indicará el analgésico más adecuado para evitar y aliviar el dolor. Generalmente, a los pocos días de la biopsia, el dolor disminuye y los requerimientos de medicamentos son pocos.

4 Si toma tratamientos para la tensión arterial, no debe suspenderlos.

5 Es normal presentar sangre en la orina o en las heces durante 2 o 3 días o incluso en el semen.

6 Si tiene fiebre y/o escalofríos debe comunicarse inmediatamente con el médico.

¿Cuáles son las posibles complicaciones después de la biopsia?

Primero conviene aclarar que la toma de biopsia de próstata no puede diseminar el cáncer en el caso de que este exista.

Aunque se considera normal la aparición de sangre en las evacuaciones y/o en la orina, el sangrado incesante a través del recto o junto con la orina se considera una complicación que debe comunicarle al médico de manera inmediata.

Así mismo, la fiebre persistente que no cede a pesar de la administración de los medicamentos indicados y a la que se agregan escalofríos, debilidad u otra sintomatología igualmente debe comunicársele al médico para su correcto tratamiento, ya que pudiera tratarse de un proceso infeccioso conocido como bacteremia que se presenta hasta en un 7% de los pacientes, el cual se produce por el traslado de bacterias del recto a la circulación sanguínea al momento de la toma de la biopsia; dicho fenómeno puede progresar y convertirse en un proceso infeccioso severo conocido como sepsis, que en algunos casos puede incluso poner en peligro la vida, aunque este fenómeno se presenta en menos del 1% de los pacientes sometidos a biopsia y la mortalidad estimada por el procedimiento es menor a 0,05%.

¿Cuáles son los posibles resultados de la biopsia?

Aunque la gran mayoría de las biopsias se solicitan por sospecha de cáncer de próstata, esta también puede diagnosticar otro tipo de enfermedades, como algunos procesos inflamatorios y/o infecciosos. Una vez que el urólogo recibe el informe del estudio, le ofrecerá a su paciente las posibilidades de tratamiento más adecuadas. Los siguientes son algunos de los resultados posibles:

I Positivo a cáncer

Una biopsia reportada como positiva significa que hay cáncer en la próstata. El grado de agresividad del tumor es diferente en cada paciente y para determinarlo es necesario que el reporte incluya una serie de elementos que ayuden a determinar el pronóstico y el tratamiento subsecuente. Hasta ahora, el elemento más importante es, y seguirá siendo, el grado histopatológico de Gleason.

Segmentos de tejido positivos

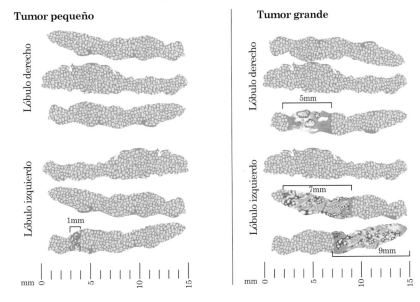

Grado histopatológico de Gleason

En 1974 el doctor Donald F. Gleason publicó los hallazgos referentes a los cambios que sufre la célula prostática cuando es afectada por el cáncer; estos hallazgos se consideran aún en la actualidad como un factor pronóstico clave en la enfermedad.

El grado de Gleason se basa en los cambios que el tumor canceroso ha desarrollado sobre la estructura normal de la célula prostática. Si el tejido prostático examinado ha sufrido pocos cambios en comparación con el tejido normal, se trata de un tumor de bajo riesgo; en cambio, si el tejido examinado ha sufrido muchos cambios a consecuencia de la actividad tumoral, estará indicando que se trata de cáncer de próstata de alto riesgo. El patólogo identificará las características predominantes en el tejido y le asignará una puntuación a las dos que más se presenten; así, el número 1 corresponderá a los tumores de más bajo riesgo y la calificación irá en aumento hasta el 5, que corresponderá a las variedades más agresivas del tumor. De esta manera, la suma de Gleason o escala de Gleason combinada estará definida por la suma de ambos patrones histológicos predominantes y puede variar en un rango de 2 (1+1) a 10 (5+5).

De acuerdo con este sistema de Gleason, el patrón 1 y 2, por definición, casi nunca será visto en la biopsia de próstata. En cambio, el patrón de Gleason 3 es, por mucho, el más común: una puntuación de Gleason 3+3=6 es de los grados MÁS BAJOS para el cáncer de próstata y, por lo tanto, de los que tienen mejor pronóstico.

GRADOS DE GLEASON EN CÁNCER DE LA PRÓSTATA

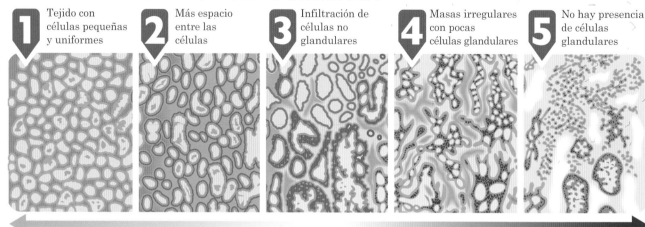

1 Tejido con células pequeñas y uniformes

2 Más espacio entre las células

3 Infiltración de células no glandulares

4 Masas irregulares con pocas células glandulares

5 No hay presencia de células glandulares

Estructura glandular normal y bien diferenciada
POCO AGRESIVO

Diferenciación moderada

Escasa diferenciación de las células glandulares
MUY AGRESIVO

2 Neoplasia intraepitelial prostática (PIN: Prostatic Intraepithelial Neoplasia)

Este resultado indica que las células prostáticas han sufrido un crecimiento en su superficie parecido al que presentan cuando hay cáncer. No es cáncer de próstata pero probablemente se trate de un precursor. Aproximadamente el 50% de pacientes con este hallazgo presentan cáncer de próstata en biopsias realizadas dentro de los siguientes 5 años.

3 Atipia celular (ASAP: Atypical Small Acinar Proliferation)

Se trata de la proliferación de pequeños grupos de células prostáticas con rasgos diferentes a los normales, solo parecidos a los cancerosos, pero en una cantidad demasiado pequeña. Igual que en la neoplasia intraepitelial prostática, este hallazgo histopatológico puede requerir una segunda opinión de otro patólogo y, de acuerdo con los reportes de ambos, el urólogo puede indicar la toma de otra biopsia.

4 Revisión de laminillas

Debido a que los cambios celulares del PIN y del ASAP son similares a los que se presentan en el cáncer de próstata, en estos casos es recomendable la revisión de las mismas laminillas de biopsia por un médico patólogo experto en cáncer de próstata, quien probablemente pueda determinar el diagnóstico de cáncer o decida realizar un estudio histopatológico adicional llamado inmunohistoquímica, el cual le permite identificar marcadores antigénicos dentro de las células y corroborar el diagnóstico.

PROSTATITIS – DOLOR PÉLVICO

Dra. Jeannette Potts
Dr. René Javier Sotelo Noguera

PROSTATITIS – DOLOR PÉLVICO

Definición

La prostatitis es una inflamación de la próstata que puede ser ocasionada por diversos agentes, principalmente infecciones bacterianas. El diagnóstico de prostatitis es complejo y puede ser frustrante tanto para el paciente como para el médico, ya que en muchas ocasiones los síntomas son poco específicos y de difícil control. Existen diversos tipos de prostatitis, de acuerdo con los síntomas y su origen.

Una de las causas de la inflamación es el residuo de orina, el cual produce la infección de los tejidos de la próstata debido a la acumulación de bacterias.

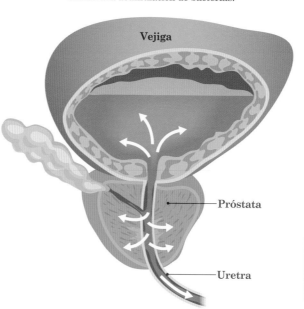

Vejiga

Próstata

Uretra

Próstata normal
No interfiere con el flujo de orina

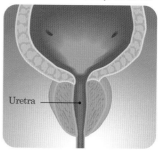

Uretra

Próstata infectada
Provoca dolor al orinar

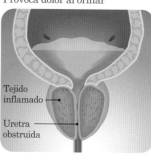

Tejido inflamado

Uretra obstruida

Prostatitis tipo I

Generalmente es una infección en la próstata que aparece de forma súbita, es decir, aguda, causada por una bacteria que está presente en la orina. El paciente puede presentar ardor al orinar, aumento en la   frecuencia de las micciones, fiebre, dolor pélvico y retención urinaria.

Algunas veces, la dificultad para orinar puede ser tan severa que se requiere introducir una sonda por la uretra hasta la vejiga para vaciar la orina. En los casos en los que no sea posible colocar la sonda por la uretra, puede ser necesario colocarla a través de un pequeño orificio en la pared abdominal llamado cistostomía. El tratamiento requiere hospitalización y la administración de antibióticos por vía intravenosa o intramuscular. Una vez que cede la fiebre, se debe continuar el tratamiento durante un período de 4 a 6 semanas con antibióticos orales.

Aunque este tipo de prostatitis a menudo se presenta de manera espontánea, la probabilidad de que aparezca debido a ciertos procedimientos urológicos también es conocida, por ejemplo, después de la colocación de una sonda urinaria o después de procedimientos diagnósticos como la cistoscopia o la biopsia de próstata. También es frecuente en hombres con condiciones que predisponen a este problema, como diabetes o estrechez de uretra.

La infección puede ser recurrente, ya que la próstata almacena las bacterias a pesar de los tratamientos. Estos episodios repetidos son más comunes si se toma antibióticos durante menos de 4 semanas o si se padece de otras enfermedades del tracto urinario.

Si la recuperación tarda o si la fiebre vuelve a aparecer o persiste, se deben realizar otros estudios, como una ecografía transrectal o una tomografía para evaluar la pelvis y la próstata y determinar si existen otras complicaciones, como un absceso prostático.

En algunos casos, se requieren tratamientos prolongados de antibióticos y/o el drenaje de estos abscesos por medio de cirugía. A veces se requiere una resección transuretral de la próstata, como la que se realiza en casos de hiperplasia prostática benigna.

Prostatitis tipo II

Se refiere a una infección prostática de vieja data, es decir, crónica. Puede ser la consecuencia de una prostatitis aguda, que generalmente se presenta en los pacientes de mayor edad y habitualmente es ocasionada por la misma bacteria. En general esta infección solo se hace notar cuando causa problemas al orinar.

El diagnóstico se confirma con los síntomas antes descritos y un cultivo de orina que demuestre la presencia del microorganismo causante de la infección. Para ello, se requieren muestras de orina antes y después de un masaje prostático, es decir, luego de realizar un tacto rectal y masajear suavemente la glándula. Las muestras se incuban en el laboratorio para comparar el crecimiento de bacterias. Si la concentración del microorganismo es más alta en la orina que se obtuvo después del masaje prostático, se concluye que la próstata almacena la bacteria y es la causa de la infección urinaria.

Si las infecciones son muy frecuentes o muy graves, debe considerarse un tratamiento prolongado tomando una dosis pequeña de antibiótico, diaria e indefinidamente. Es importante descartar cálculos (piedras) o problemas como retención de orina o estrecheces en la uretra, que predispongan a estas infecciones.

Prostatitis tipo III

Este tipo de prostatitis también es crónica, pero no está relacionada con una infección por bacterias. Se podría describir como dolor pélvico crónico. Esta categoría representa más del 90% de los casos diagnosticados de prostatitis.

La mayoría de los pacientes son menores de 50 años de edad y padecen síntomas como dolor en los genitales, pelvis o periné; molestias al orinar y, a veces, disfunción sexual, incluyendo dolor después de la eyaculación. En muchos de estos casos se sufre de una gran ansiedad provocada por este malestar.

La falta de fuerza de los músculos pélvicos es la causa del dolor, que a veces se describe como una punzada o ardor en lugares como el escroto, el ano o la ingle. Estos problemas se comprueban por medio de un examen detallado del abdomen, genitales y de los músculos pélvicos, que se palpan a través de una evaluación anorrectal.

Para algunos hombres, el dolor no se localiza en la zona prostática sino en lugares más distantes, generalmente en músculos contraídos en la espalda o dentro de la pelvis, pero que tienen relación con los nervios cercanos a la zona prostática.

Estos músculos son más vulnerables al desarrollo de lo que se conoce como *puntos gatillo*, es decir, puntos específicos que al ser estimulados desencadenan el dolor, el cual se exacerba en personas que permanecen sentadas durante largo tiempo. La postura y el trauma repetitivo perpetúan el malestar del músculo y su irritabilidad.

Los problemas al orinar, como ardor, retención urinaria y aumento de la frecuencia de la micción también pueden ser manifestaciones de la contracción y la tensión de los músculos pélvicos, debidas a la actividad anormal del esfínter urinario. No es raro que muchos pacientes también presenten trastornos intestinales, estreñimiento y molestias durante la evacuación.

Algunos hombres notan un cambio en su vida sexual debido a los síntomas. El deseo sexual disminuye por la ansiedad y las molestias físicas. Estos factores también alteran la calidad de la erección y aumentan la ansiedad y la desconfianza durante el acto sexual, lo que provoca un círculo vicioso en donde el paciente está a la expectativa de que aparezcan las molestias, con la consecuente ansiedad y contracción muscular. Además, en el momento del orgasmo ocurre un espasmo que desencadena una gran incomodidad y disminuye el deseo. Obviamente, esto aumenta la tensión, el estrés y afecta a la pareja.

Aunque no se sabe con certeza la causa, se ha observado que algunos de estos síntomas, junto con otros atribuidos a la prostatitis, se resuelven cuando se practica un programa de ejercicios para la columna y la pelvis.

Es importante tomar en cuenta que esta enfermedad puede aparecer con otros desórdenes, como inflamación del colon, fatiga crónica, depresión, ansiedad y jaquecas.

Es necesario recibir asesoría especializada para realizar ejercicios para la postura y ejercicios para reforzar y relajar los músculos del cuerpo, en especial los de la pelvis. También es fundamental el apoyo emocional.

Asimismo, se indicarán reposo, pautas para mejorar la dieta y recomendaciones para el manejo del estrés. Uno de los tratamientos que se emplean se denomina terapia de *liberación miofascial*, un procedimiento especializado que utiliza varias formas de masaje y presión precisa para soltar los puntos o nudos palpables en la espalda o los puntos que provocan espasmos. El tratamiento es más eficiente, y ofrece alivio prolongado, si se realiza junto con un programa de relajación.

Prostatitis tipo IV

La prostatitis tipo IV es una inflamación prostática que se diagnostica por pruebas de laboratorio o por muestras de tejido que son enviadas a examen de patología. Los pacientes afectados no presentan síntomas. A veces, durante evaluaciones de fertilidad, se evidencian células inflamatorias en el semen, lo cual puede indicar infección aunque el paciente siga sin síntomas. En otras ocasiones, el resultado parece ser una inflamación cuyo origen no se puede explicar, por tratarse de un proceso antiguo. En muestras de biopsias o de tejido extraído en cirugía durante una prostatectomía, también se observan con mucha frecuencia estos cambios por inflamación crónica y aguda.

Durante muchas décadas estos síntomas han sido atribuidos a infecciones, pero se ha comprobado que solo entre 5% y 7% de estos casos están asociados realmente con la acción de una bacteria. Desafortunadamente, a la mayoría de estos pacientes se les prescriben antibióticos durante largos períodos.

Es preocupante que muchos casos diagnosticados de prostatitis no son causados realmente por problemas prostáticos sino por problemas musculares, por lo que es importante acudir al urólogo cuando se presenten estos síntomas o cuando estos persistan después de un tratamiento.

El siguiente cuestionario, llamado Índice de síntomas de prostatitis crónica (*Spanish National Institutes of Health-Chronic Prostatitis Symptom Index*), recoge información objetiva de los pacientes, a la que se le asignan distintos valores numéricos con el fin de obtener resultados cuantificables que permitan evaluar de una forma más precisa la respuesta a un tratamiento determinado.

Índice de síntomas de prostatitis crónica abacteriana
(dolor pélvico crónico)

DOLOR O MOLESTIA

1 Durante la semana pasada, ¿ha tenido usted dolor o molestia en las siguientes partes del cuerpo?

	Sí	No
a. En el área del recto y los testículos (perineo)	☐1	☐0
b. En los testículos	☐1	☐0
c. En la punta del pene (dolor o molestia no relacionados con orinar)	☐1	☐0
d. Debajo de la cintura, en el área del pubis o de la vejiga	☐1	☐0

2 Durante la semana pasada ¿ha tenido usted...

	Sí	No
a. ¿Dolor o ardor al orinar?	☐1	☐0
b. ¿Dolor o molestia durante o después del orgasmo (eyaculación)?	☐1	☐0

3 Durante la semana pasada, ¿con qué frecuencia ha tenido usted dolor o molestia en alguna de las partes de su cuerpo indicadas en la primera pregunta?
- ☐0 Nunca
- ☐1 Pocas veces
- ☐2 Algunas veces
- ☐3 Muchas veces
- ☐4 Casi siempre
- ☐5 Siempre

4 ¿Qué número describe mejor el nivel PROMEDIO de dolor o molestia, en los días que lo tuvo, durante la semana pasada?

☐0 ☐1 ☐2 ☐3 ☐4 ☐5 ☐6 ☐7 ☐8 ☐9 ☐10

Sin dolor   Dolor fuerte

ORINAR

5 Durante la semana pasada ¿con qué frecuencia ha tenido usted la sensación de que no se vació completamente la vejiga al terminar de orinar?
- ☐0 Ni una vez
- ☐1 1 de cada 5 veces
- ☐2 Menos de la mitad de las veces
- ☐3 La mitad de las veces
- ☐4 Más de la mitad de las veces
- ☐5 Casi siempre

6 Durante la semana pasada, ¿con qué frecuencia tuvo usted que volver a orinar menos de dos horas después de haber orinado?
- ☐0 Ni una vez
- ☐1 1 de cada 5 veces
- ☐2 Menos de la mitad de las veces
- ☐3 La mitad de las veces
- ☐4 Más de la mitad de las veces
- ☐5 Casi siempre

EFECTO DE LOS SÍNTOMAS

7 Durante la semana pasada, ¿cuánto han impedido sus síntomas que usted hiciera las cosas que hace habitualmente?
- ☐0 Nada
- ☐1 Solo un poco
- ☐2 Algo
- ☐3 Mucho

8 ¿Cuánto pensó en sus síntomas durante la semana pasada?
- ☐0 Nada
- ☐1 Solo un poco
- ☐2 Algo
- ☐3 Mucho

9 Calidad de vida
¿Cómo se sentiría si tuviera que pasar el resto de su vida con síntomas iguales a los que ha tenido durante la semana pasada?
- ☐0 Encantado
- ☐1 Complacido
- ☐2 Satisfecho
- ☐3 Más o menos satisfecho
- ☐4 Insatisfecho
- ☐5 Descontento
- ☐6 Muy mal

PUNTUACIÓN TOTAL

Dolor
Total de la preguntas 1a, 1b, 1c, 1d, 2a, 2b, 3 y 4

Síntomas urinarios
Total de las preguntas 5 y 6

Efecto sobre la calidad de vida
Total de las preguntas 7, 8 y 9

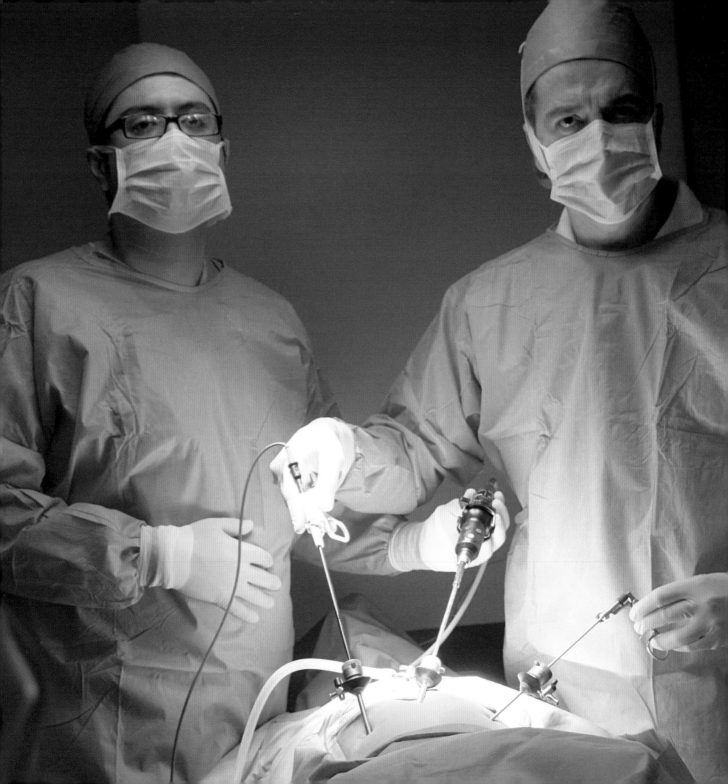

HIPERPLASIA PROSTÁTICA BENIGNA

Dr. José Luis Gaona Morales
Dr. René Javier Sotelo Noguera

HIPERPLASIA PROSTÁTICA BENIGNA

Durante las dos primeras décadas de la vida de un hombre, la glándula prostática crece de forma constante, hasta alcanzar un tamaño de aproximadamente 20 centímetros cúbicos. Entre los 20 y los 40 años de edad, ese crecimiento se detiene y se reanuda hacia la quinta década de vida. A partir de entonces la glándula continuará creciendo.

Este proceso se conoce como hiperplasia prostática benigna (HPB) y aunque, como su nombre lo indica, no está relacionado con el cáncer de próstata, puede convertirse en un problema de salud, debido a que hay riesgo de que cause obstrucción y dificultad para orinar. Sin embargo, tanto la edad a la que se presenta este crecimiento como el tamaño que la próstata puede alcanzar varían de persona a persona.

Próstata normal

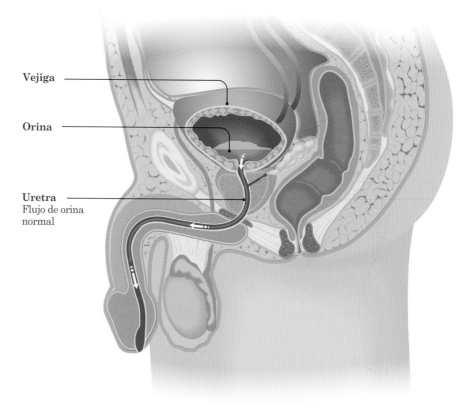

Vejiga

Orina

Uretra
Flujo de orina
normal

Además de la edad, otros factores se han relacionado con el crecimiento prostático. Entre ellos están el alcoholismo y la cirrosis hepática, que son dos condiciones que aumentan la concentración del estrógeno, una hormona sanguínea que estimula el crecimiento prostático. Igualmente, los antecedentes familiares pueden ser otro factor que indique que hay riesgo de hiperplasia prostática benigna, pues los hijos de pacientes que han presentado este cuadro tienen un riesgo hasta cuatro veces mayor que otros hombres de desarrollar la enfermedad. En muchos de estos casos, la HPB se presenta en una edad temprana (a veces antes de los 50 años de edad) y la glándula puede alcanzar un gran volumen.

Agrandamiento de próstata (HPB)

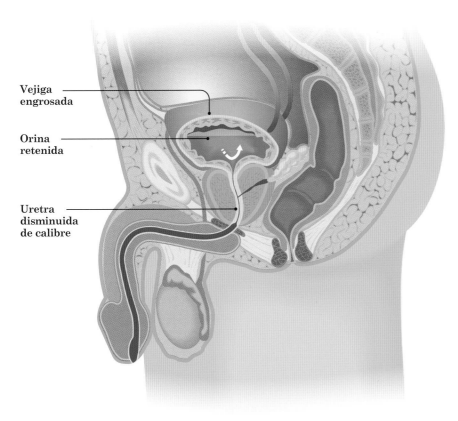

Vejiga engrosada

Orina retenida

Uretra disminuida de calibre

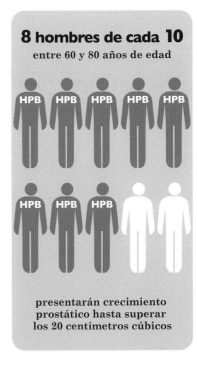

8 hombres de cada 10
entre 60 y 80 años de edad

HPB HPB HPB HPB HPB

HPB HPB HPB

presentarán crecimiento prostático hasta superar los 20 centímetros cúbicos

Sintomatología

El aumento del tamaño de la próstata no ocasiona necesariamente los mismos síntomas en todos los pacientes, pues se ha demostrado que la aparición de dificultades para orinar no se correlaciona con su tamaño. Es decir, hay pacientes con muchas dificultades para orinar cuyas próstatas no presentan un crecimiento considerable, mientras que otros con un crecimiento notable de la glándula no desarrollan este problema.

Pacientes que tendrán molestias para orinar
Se calcula que estas dificultades afectan a:

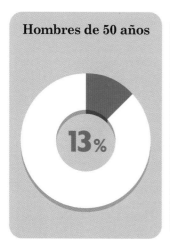
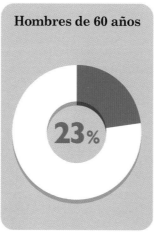
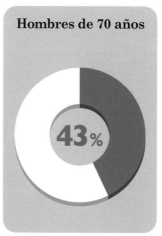
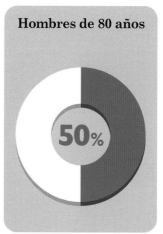

En general, los síntomas de la hiperplasia prostática benigna son: adelgazamiento y debilidad del chorro urinario, dificultad para comenzar a orinar, micción intermitente o goteo al finalizar la micción. Así mismo, puede presentar la necesidad urgente o frecuente de orinar, aumento de las micciones durante la noche (nicturia) o tener la sensación de que la vejiga no se vació completamente cuando ya terminó de orinar.

Hay varias explicaciones para el desencadenamiento de estos síntomas. Una de ellas es que la cápsula prostática, que recubre la glándula como una cáscara, comienza a comprimir el resto del órgano, lo que causa un aumento en la presión dentro de la próstata con la consiguiente dificultad para orinar.

Igualmente, también se han atribuido los problemas a un cambio en las características de las células musculares y fibrosas que forman la próstata. La interacción de estas células da lugar a una presión constante que se denomina tono pasivo y activo, lo que determina la elasticidad de la glándula. Un aumento de esta presión, que se transmite por todo el órgano, puede también interferir con el paso de la orina.

La obstrucción urinaria puede tener consecuencias desastrosas pues, para compensarla y poder funcionar, la vejiga reacciona con un aumento en el grosor de sus paredes, que permite expulsar el líquido con mayor presión. A causa de este engrosamiento, pueden instaurarse cambios microscópicos, que incluyen acumulación de fibra o disminución de la sensibilidad de los nervios, que comienzan a influir en que el órgano actúe deficientemente. Entonces pueden aparecer los síntomas de almacenamiento, que se caracterizan por un mayor número de micciones diarias, así como de una urgencia para orinar.

Con el tiempo, la vejiga se deteriora de tal manera que ya no es capaz de expulsar la orina con suficiente presión, por lo que sobrevienen los síntomas de vaciamiento: chorro de orina débil, necesidad de pujar para orinar, etc. Dentro de la vejiga puede quedar un residuo importante de orina. Esto puede causar complicaciones como el crecimiento de bacterias, con la consiguiente infección urinaria o la aparición de cálculos vesicales.

Por otra parte, los riñones también pueden verse comprometidos cuando hay una eliminación deficiente de orina. En ese caso, puede ocurrir una dilatación de dichos órganos —conocida como hidronefrosis— y un deterioro de su funcionamiento —insuficiencia renal crónica—.

Métodos de diagnóstico

Ante la presencia de síntomas como los antes descritos, es necesario acudir al especialista, quien indagará acerca del tiempo de evolución de estos y su intensidad. El médico investigará la presencia de otros síntomas o signos como: sangre en la orina (que puede indicar cálculos vesicales o un tumor vesical); fiebre (que puede ser un indicio de infección urinaria); dolor en la parte baja del abdomen o por detrás de los testículos (que puede deberse a prostatitis); antecedentes de uretritis o lesión uretral (que hayan podido originar estrechez de la uretra); o antecedentes de enfermedades neurológicas, como diabetes, derrames cerebrales o mal de Parkinson (que puedan producir un mal funcionamiento de la vejiga).

Una de las cosas que el médico intentará establecer es hasta qué punto los síntomas están teniendo repercusiones sobre la calidad de vida de los pacientes, pues esto será importante a la hora de decidir los tratamientos. Igualmente, a partir de este primer acercamiento, el médico indicará los estudios de laboratorio y realizará las exploraciones que considere necesarias para saber cuál es la condición de la próstata. Dichos procedimientos diagnósticos se explican en detalle en el capítulo 2.

Tratamiento médico

Una vez que la hiperplasia prostática benigna se ha establecido como la causa de los síntomas urinarios, es necesario seguir un tratamiento, de acuerdo con las indicaciones del médico. La severidad de los síntomas es lo que indicará la pauta a seguir.

Sin embargo, en aquellos pacientes con síntomas leves, que no impliquen un deterioro importante de la calidad de vida, es posible simplemente quedar bajo observación del especialista, sin necesidad de tomar medicamentos. En estos casos será necesario someterse a controles médicos periódicos (cada año, generalmente) para vigilar la evolución de los síntomas.

El médico puede dar una serie de recomendaciones, como limitar la ingesta nocturna de líquidos, lo que ayudará a disminuir el número de veces que se debe orinar durante la noche. También se aconseja disminuir el consumo de algunas comidas irritantes, como el café y el alcohol, que pueden empeorar los síntomas de *almacenamiento* (urgencia para orinar y mayor número de micciones diarias). En la mitad de estos casos, las molestias se mantienen estables, sin empeorar.

Como puede observarse, el tamaño de la próstata no es lo que condiciona la decisión de comenzar un tratamiento con medicamentos, pues el tamaño no necesariamente se correlaciona con los síntomas existentes. En los casos en los que los síntomas comienzan a ser molestos, los pacientes pueden empezar a ser tratados con medicamentos. Estos pueden mejorar la calidad de vida y prevenir el daño de órganos como la vejiga y los riñones. Sin embargo, hay que tener en cuenta que estos medicamentos, salvo algunos casos, no curan el crecimiento prostático sino que alivian los síntomas, por lo que, al suspenderlos, los síntomas reaparecen casi de inmediato.

Alfa bloqueadores

Los síntomas de la hiperplasia prostática benigna pueden estar relacionados con la contracción de las células musculares que se encuentran dentro de la próstata. Como todas las células del cuerpo, las de la próstata tienen receptores para poder tomar las órdenes que envía el sistema nervioso. En este caso, las órdenes que indican a las células que deben contraerse se reciben a través de un receptor que se encuentra en su superficie, conocido como alfa 1a.

Existen medicamentos que bloquean o suspenden la actividad de este receptor, llamados alfa bloqueadores, que hacen que el tono muscular de la próstata se relaje y permita que la orina se abra paso fácilmente a través de la uretra, la cual se libera de la presión ejercida por la próstata.

Actualmente, en el mercado están disponibles cinco medicamentos alfa bloqueadores: terazosina, doxazosina, alfuzosina, tamsulosina y silodosina. La dosis que se prescribe es una tableta una vez al día, que generalmente debe tomarse durante la noche. Suele comenzar a verse un alivio de los síntomas 48 horas después de haber comenzado a tomar el medicamento. Luego de dos semanas, se alcanza la mejor respuesta posible.

Efectos secundarios

En menos de 10% de las personas que toman estos medicamentos pueden ocurrir episodios de vértigo, debilidad y mareos cuando se realizan cambios bruscos de posición, como levantarse después de estar acostado. Uno de los efectos de los medicamentos alfa bloqueadores es que pueden causar una deficiencia en la regulación de la tensión arterial. Las excepciones son la tamsulosina, la alfuzosina y la silodosina, que no tienden a producir este tipo de alteraciones.

Los alfa bloqueadores no interfieren con la erección ni con el apetito sexual. En menos del 10% de los casos, la tamsulosina y la silodosina pueden inducir una eyaculación retrógrada, es decir, el semen no es expulsado hacia afuera, sino que es enviado a la vejiga y luego sale con la orina. Esto ocurre porque este medicamento, como actúa sobre los receptores del sistema urinario, mantiene abierto el cuello de la vejiga durante el orgasmo, lo que hace que el semen proveniente de las vesículas seminales y la próstata tome un camino distinto y se dirija hacia la vejiga y no al exterior.

Inhibidores de la 5 alfa reductasa

El crecimiento de las células glandulares que causa la hiperplasia prostática benigna ocurre por la acción de la testosterona. Sin embargo, en realidad la influencia sobre este proceso ocurre por la acción combinada de la hormona con una proteína llamada 5 alfa reductasa, que da como resultado una forma conocida como dehidrotestosterona.

Este grupo de medicamentos bloquean la acción de esa proteína y, como resultado, pueden disminuir el tamaño de la próstata y por ende ocurre un alivio de los síntomas del paciente que se hace más evidente al segundo mes de tratamiento. El mayor grado de disminución del volumen prostático se observa luego de seis meses. Los pacientes más beneficiados con el tratamiento son aquellos con volúmenes prostáticos mayores de 40 centímetros cúbicos. Los medicamentos disponibles en el mercado son Finasteride y Dutasteride. La dosis es de una tableta al día. Se reportan algunos efectos secundarios como disminución del interés sexual (4% de los casos), desórdenes con la eyaculación (2,7% de los casos) y alteraciones con la erección (entre 1,7% y 3% de los casos).

El desarrollo de medicamentos que permiten el tratamiento de la hiperplasia prostática benigna, así como de nuevas opciones terapéuticas menos invasivas, ha hecho que la necesidad de recurrir a un procedimiento quirúrgico para el tratamiento del crecimiento benigno de la próstata haya disminuido con el paso de los años; sin embargo, existen casos en los que es necesario operar. Esto puede ocurrir por las siguientes razones:

 Dato

¿Cuáles medicamentos son más efectivos para aliviar los síntomas, los alfa bloqueadores o los inhibidores de la 5 alfa reductasa? Hay estudios que indican que puede obtenerse mayor beneficio con los primeros, con diferencias que se observan a partir del séptimo día de tratamiento. Este hallazgo puede explicarse por el hecho de que los inhibidores de la 5 alfa reductasa basan su acción en la disminución del volumen prostático y, como se dijo, el volumen no se correlaciona con la severidad de los síntomas. Un estudio reciente sugiere que la combinación de ambos tipos de medicamento es más efectiva que el suministro aislado de cualquiera de los dos medicamentos, pero esta mejora se logra solo después de un año de tratamiento y en pacientes con elevados volúmenes prostáticos y síntomas severos. Además, tiene un elevado costo.

Daño a la función renal

Cuando la vejiga permanece llena por períodos prolongados y no se desocupa totalmente al orinar, el aumento de presión en el tracto urinario puede causar una alteración en el funcionamiento de los riñones, que se ven obligados a filtrar la orina en contra de la presión generada en la vejiga.

Esto puede causar un daño irreversible en los riñones, sobre todo cuando los síntomas se han presentado durante un tiempo prolongado. Por esta razón es necesaria una intervención que libere la obstrucción del tracto urinario. Si no es posible hacer esto, se debe resolver el problema introduciendo una sonda a través de la uretra con el fin de que se pueda evacuar la orina sin resistencia.

Retención urinaria aguda

Esta es la imposibilidad de orinar cuando la vejiga está llena. Puede ocurrir debido a diversas enfermedades prostáticas como la hiperplasia prostática benigna, la prostatitis, algunas infecciones de la próstata o también por el cáncer de próstata. También ocurre porque ciertos medicamentos pueden contraer las fibras del músculo liso del tejido prostático, lo que causa obstrucción del tracto urinario, o por la acción de algunos medicamentos que inhiben la contracción del músculo de la vejiga. El tratamiento para esta condición es la colocación de una sonda a través de la uretra para lograr evacuar la orina retenida. Este procedimiento debe hacerse de urgencia por un urólogo, quien también decidirá el tratamiento posterior.

Dato

Las infecciones urinarias pueden estar asociadas con la cantidad de orina que queda dentro de la vejiga después de la micción, lo que favorece el crecimiento de bacterias en el tracto urinario.

Cálculos intravesicales

La acumulación de elementos sólidos en la orina, que se conocen como solutos, da lugar a formaciones minerales llamadas cálculos o piedras. Solo algunos de estos cálculos podrían tratarse con tratamiento médico, especialmente los de ácido úrico, con los que sería necesario neutralizar la acidez de la orina. Sin embargo, esto no solucionaría la obstrucción del tracto urinario de salida por una hiperplasia prostática benigna.

Sangrado severo o recurrente

Esto puede ocurrir en situaciones clínicas muy delicadas, como en el cáncer en cualquier lugar del tracto urinario o en la próstata, y siempre requiere tratamiento de inmediato. La causa de sangrado por hiperplasia prostática puede ser el crecimiento y dilatación de las venas que rodean la uretra, que se pueden romper por la obstrucción y el esfuerzo para orinar.

Este cuadro ocurre con más frecuencia en personas que consumen medicamentos que alteran el proceso de coagulación, como el ácido acetilsalicílico (Aspirina®) y otros anticoagulantes. El sangrado suele presentarse durante la micción y puede detenerse después de algunos días, aunque en algunos casos puede persistir y causar retención urinaria por la presencia de coágulos.

Vejiga inestable con incontinencia de urgencia

Muchos de los hombres con hiperplasia prostática eventualmente pueden desarrollar lo que se conoce como inestabilidad vesical, que sucede cuando la vejiga se activa independientemente del deseo de orinar, lo que causa en algunos casos la salida involuntaria de orina.

Esto ocurre debido a los cambios que sufre el músculo de la vejiga, producidos por el esfuerzo que este hace contra la resistencia de la próstata a la salida de la orina. Mientras más tiempo transcurra, estos cambios pueden ser más severos y aumenta el riesgo de que sean irreversibles y se dañe totalmente la vejiga.

Estos cambios causan síntomas de irritación, que se presentan con mayor intensidad durante la noche. El más significativo es la incontinencia urinaria de urgencia: un deseo de orinar tan repentino que ni siquiera da tiempo para llegar al baño.

Hernias

Los pacientes con síntomas obstructivos tienden a contraer los músculos abdominales para aumentar la fuerza del chorro urinario y así tener un mejor vaciamiento, lo que puede favorecer la aparición de hernias abdominales o el crecimiento de las ya existentes. Estos pacientes primero deben ser evaluados y atendidos por el urólogo para que se les resuelva la enfermedad prostática, ya que, de corregir primero la hernia sin liberar la obstrucción urinaria, tendrán que seguir haciendo esfuerzo abdominal para orinar y la hernia se puede volver a formar.

 Dato

Debido a la obstrucción que ocasiona la próstata al flujo de la orina durante mucho tiempo, es posible que el músculo de la vejiga se debilite tanto que, aun cuando se realice la cirugía prostática y se libere la obstrucción, el músculo vesical ya sea incapaz de contraerse lo suficiente para vaciar la orina por completo.

Cuando se sospeche esto, se debe realizar un estudio llamado urodinamia, el cual permitirá evaluar estos cambios antes de la cirugía y predecir así la respuesta después de ella.

Tratamiento quirúrgico

Aunque la cirugía es la opción terapéutica más efectiva contra la hiperplasia prostática, es la que tiene mayores posibilidades de complicación. Aun así, el porcentaje de pacientes que las presentan es muy bajo. Sin embargo, cuando existen ciertas afecciones de salud, como diabetes no controlada, falla hepática, problemas pulmonares y/o cardiovasculares, no se recomienda el tratamiento quirúrgico sino un tratamiento más conservador. También está contraindicada una operación cuando existen alteraciones psiquiátricas o mentales severas que impidan un control postoperatorio adecuado.

Clasificación de acuerdo con el tamaño estimado de la próstata		
Grado I	**Grado II**	**Grado III**
Entre 20 y 40 gr	Entre 40 y 60 gr	Mayor de 60 gr

1. Resección transuretral de próstata (RTUP)

Esta es la cirugía de próstata más común y se practica en alrededor del 95% de los pacientes con hiperplasia prostática benigna menor a los 60 gramos (grado I-II).

Durante la operación, una vez que el paciente se encuentra en la posición adecuada y bajo el efecto de la anestesia, el cirujano introduce un instrumento delgado llamado resectoscopio a través de la uretra y emplea unos elementos metálicos conocidos como asas, que producen corte y coagulación de los tejidos. De esta manera se elimina el tejido prostático que causaba la obstrucción.

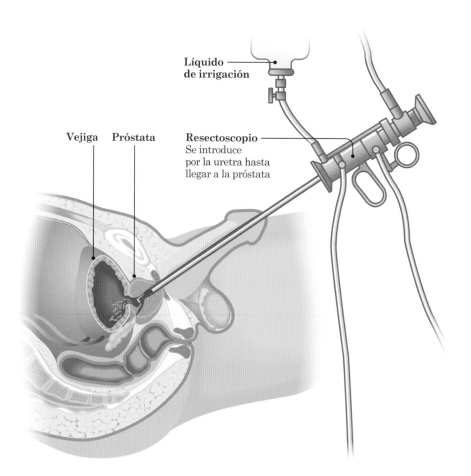

Líquido de irrigación

Vejiga

Próstata

Resectoscopio
Se introduce
por la uretra hasta
llegar a la próstata

Al terminar el procedimiento se extraen los fragmentos de tejido prostático, los cuales se envían a estudio de anatomía patológica. Después del procedimiento se debe irrigar continuamente con solución estéril a través de una sonda uretral, para evitar la formación de coágulos, ya que puede haber sangrado después del procedimiento. Esta irrigación por lo general se retira al siguiente día de la cirugía. El paciente debe permanecer con una sonda, generalmente por pocos días, y se le dará de alta del hospital a los 2 días de operado si no presenta ninguna complicación.

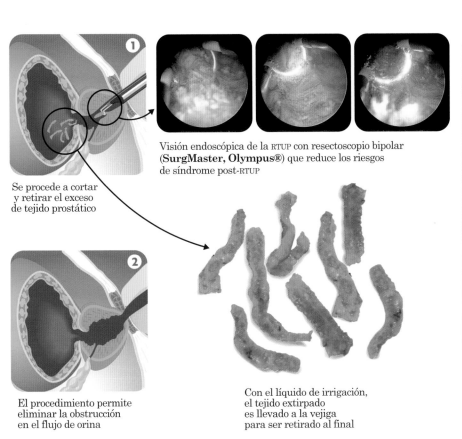

Se procede a cortar y retirar el exceso de tejido prostático

Visión endoscópica de la RTUP con resectoscopio bipolar (**SurgMaster, Olympus®**) que reduce los riesgos de síndrome post-RTUP

El procedimiento permite eliminar la obstrucción en el flujo de orina

Con el líquido de irrigación, el tejido extirpado es llevado a la vejiga para ser retirado al final

- Aunque la resección transuretral se considera una cirugía segura, existe una posible complicación conocida como síndrome post-RTU.

- Se caracteriza por cambios en el estado de conciencia y alteraciones visuales ocasionados por la absorción de los líquidos empleados durante la cirugía a través de los tejidos resecados.

- Aunque esta complicación puede llegar a ser muy peligrosa, **se presenta en aproximadamente 1 de cada 50 pacientes operados** y, cuando se identifica a tiempo, tiene tratamiento exitoso.

71

¿Qué puede pasar si el paciente decide no operarse?

La orina retenida en la vejiga por la obstrucción de la próstata crecida ocasionará infecciones urinarias a repetición que empeorarán conforme pase el tiempo, y dependiendo de la velocidad de crecimiento prostático que cada paciente presente, se podría ocasionar obstrucción urinaria completa con daño irreversible a los riñones, pudiendo ser necesario el uso de una sonda urinaria de manera indefinida para tratar la obstrucción.

2. Prostatectomía simple abierta o adenomectomía abierta

Generalmente este tipo de cirugía solo se realiza si la próstata es excesivamente grande; es decir, mayor de 60 gramos (grado III) según lo determine el tacto rectal o la ecografía transrectal. Se llama abierta porque el cirujano realiza una herida de unos 8-10 cm en la parte inferior del abdomen para llegar a la próstata, en lugar de hacerlo por la uretra, como en la resección transuretral, ya que la próstata es tan grande que se necesitaría mucho tiempo en quirófano para extraer tanto tejido en pequeños fragmentos como en la RTUP.

Existen dos tipos de técnicas: la prostatectomía abierta transvesical, en la cual se extrae la parte obstructiva de la próstata a través de la vejiga; y la prostatectomía abierta retropúbica, en la que se extrae la porción obstructiva de la próstata a través de la corteza que la recubre (cápsula) sin abrir la vejiga.

Al finalizar el procedimiento, se coloca un drenaje plástico estéril a un lado de la herida quirúrgica con la finalidad de evacuar la orina y la sangre que quedó en el sitio donde se realizó la cirugía. Dicho drenaje se retira generalmente a los 3 o 4 días; en algunas ocasiones también se coloca una sonda de la vejiga a la pared abdominal, llamada cistostomía, que ayuda al vaciamiento de orina y que se retira a los 3 días de la cirugía, siempre antes de retirar la sonda del pene, la cual se retira a los 4 o 5 días de operado. El paciente permanece hospitalizado de 2 a 4 días luego del procedimiento y debe guardar reposo aproximadamente durante 2 semanas.

Técnica abierta transvesical
A través de la vejiga, se extrae
la parte obstructiva de la próstata

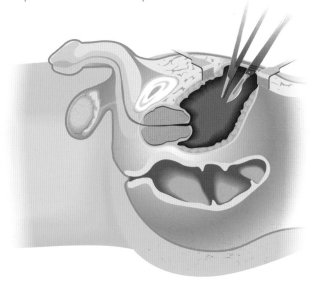

Técnica retropúbica
Sin abrir la vejiga, se extrae la
porción obstructiva de la próstata
a través de la cápsula

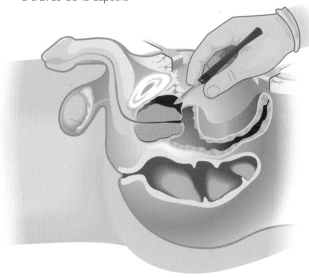

73

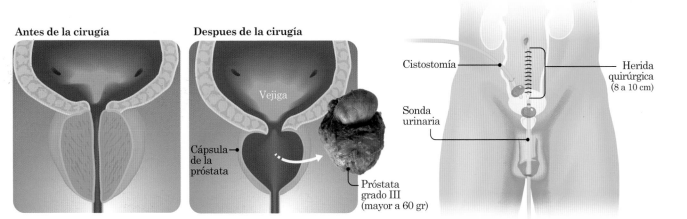

Antes de la cirugía

Despues de la cirugía

Vejiga

Cápsula
de la
próstata

Próstata
grado III
(mayor a 60 gr)

Cistostomía

Herida
quirúrgica
(8 a 10 cm)

Sonda
urinaria

3. Prostatectomía simple por laparoscopia o adenomectomía laparoscópica

Cuando la próstata alcanza más de 60 gramos, el paciente es candidato tanto para cirugía abierta como para cirugía laparoscópica. La laparoscopia en el campo urológico ha venido ganando adeptos en los últimos tiempos por sus ventajas. Entre ellas está que la invasión al paciente es mínima, este sufre una herida mucho más pequeña, con lo que hay cicatrices menores; la recuperación es más rápida y es posible reincorporarse tempranamente al trabajo, con lo que se preserva mejor la calidad de vida.

Dato

La técnica de extirpación con laparoscopia del adenoma (como se conoce la parte de la glándula prostática que ha crecido y que está ocasionando la obstrucción) requiere entrenamiento por parte del urólogo, por lo que no está tan difundida. Será el especialista quien indique el procedimiento a seguir, según las condiciones del paciente y las habilidades del médico.

El procedimiento requiere el uso de 5 instrumentos cilíndricos llamados trócares, que miden entre 5 y 12 mm de diámetro cada uno, los cuales se introducen estratégicamente en la pared abdominal a través de orificios de esas mismas medidas. Entonces el cirujano introduce pinzas y otros instrumentos a través de los trócares y así puede tener acceso a la próstata, a la cual, una vez identificada, se le extrae la porción obstructiva, que se coloca en una bolsa especial y se retira a través de la cicatriz umbilical. Finalmente se coloca una sonda a través de la uretra, se inserta un drenaje delgado de látex y se cierran las heridas. La sonda urinaria se retirará a los 4 o 5 días de operado.

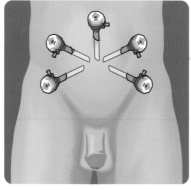

Trócares

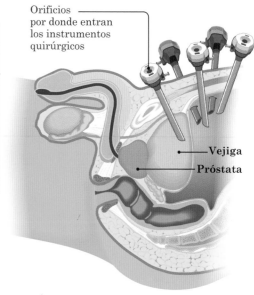

Orificios por donde entran los instrumentos quirúrgicos

Vejiga
Próstata

Una de las ventajas de la técnica laparoscópica es que al producir una herida mucho menor, a diferencia de la cirugía abierta, la recuperación es mucho más rápida. El paciente podrá ingerir alimentos más rápidamente y en la mayoría de los casos puede irse a su casa al siguiente día del procedimiento. Además, suele haber menor sangrado durante la intervención, ya que la presión ejercida por el gas empleado en la cirugía actúa como un tapón sobre los vasos sanguíneos e impide que estos sangren. Gracias a los instrumentos que se utilizan, es posible ver los tejidos con aumento, lo que permite reconstruir con mayor precisión el tracto urinario.

4. Adenomectomía por LESS
(Laparo Endoscopic Single-Site Surgery)

Este tipo de cirugía mínimamente invasiva forma parte de la evolución de la laparoscopia convencional. Se realiza a través de una única incisión suprapúbica de unos 2 centímetros y medio, a través de la cual se introduce un solo trócar con múltiples válvulas, por las que se introducen modernas pinzas y cámara flexibles que le permiten al cirujano entrenado realizar la extracción del adenoma prostático con la misma seguridad y eficacia que cuando se efectúa mediante cirugía abierta o laparoscópica. Esto implica también la rápida recuperación en el postoperatorio y la pronta reincorporación a las actividades cotidianas.

Trócar de múltiples válvulas

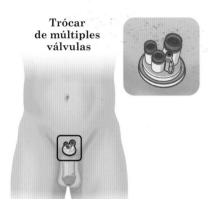
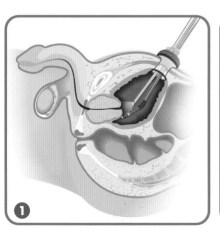

75

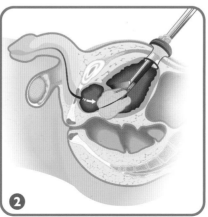
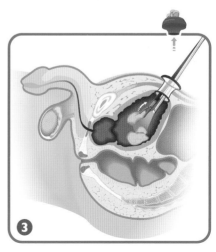

5. Prostatectomía simple robótica

Avances tecnológicos, como la mejora de los dispositivos audiovisuales (que permiten captar imágenes en tres dimensiones) y la posibilidad de manejar instrumentos a distancia, han dado como resultado la creación de robots auxiliares para las intervenciones quirúrgicas.

La cirugía robótica también forma parte de lo que se conoce como cirugía de mínima invasión, porque, al igual que la cirugía laparoscópica convencional, solo necesita pequeñas incisiones a través de la pared abdominal para realizar el procedimiento, con la diferencia de que a través de estas se introducen los brazos del robot quirúrgico Da Vinci (Intuitive Surgical®).

Consola de comando
El cirujano manipula los brazos del robot observando el interior del paciente a través del visor.
Es tal la sincronización, que solo hay un retraso de un segundo entre los movimientos del cirujano y de los brazos del robot

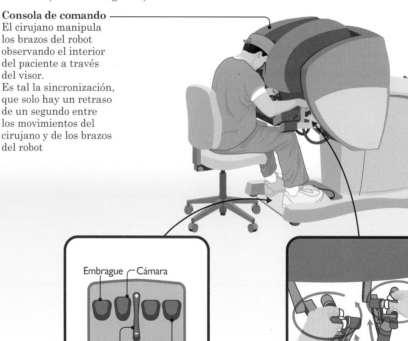

Embrague — Cámara

Foco   Cauterizador

Pedales
Controlan la cámara, activan la función de cauterizar y desactivan los mandos

Mandos de control
A distancia, el cirujano manipula los instrumentos quirúrgicos

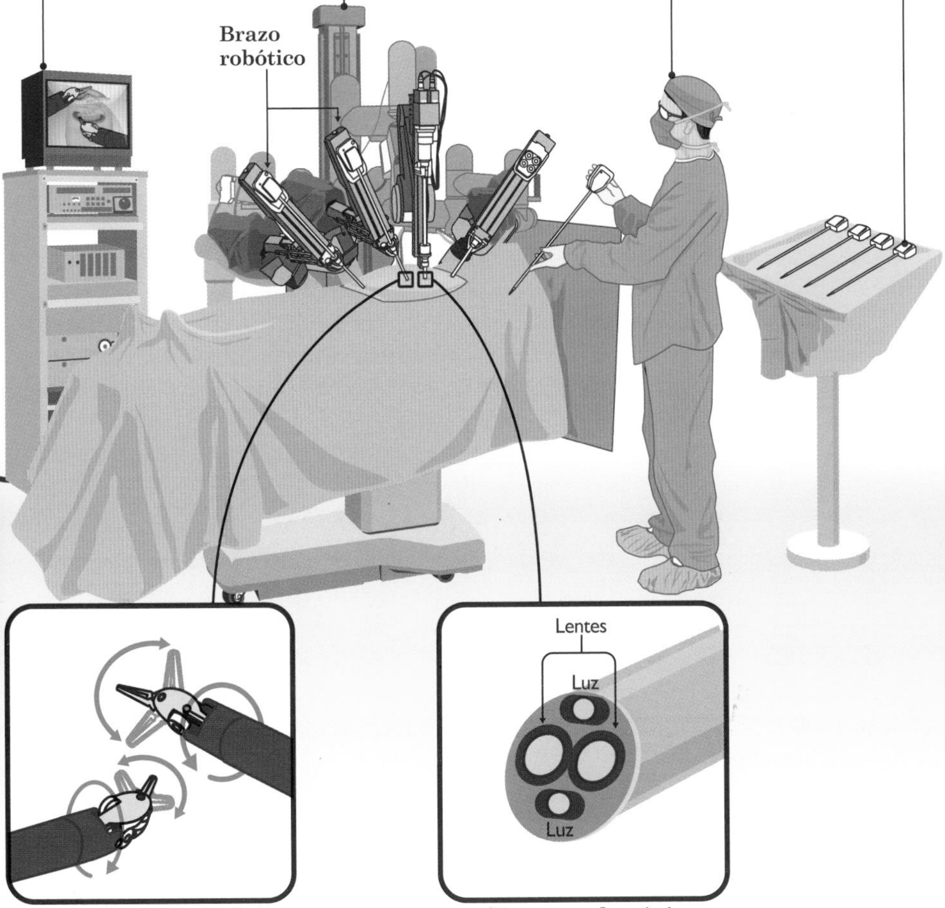

Monitor auxiliar
Permite al cirujano
asistente seguir el
procedimiento.
El equipo registra
la cirugía en video
de alta definición

Robot
Ejecuta de manera
precisa los movimientos
enviados desde la consola
de operaciones

Cirujano asistente
Ajusta los brazos
del robot e inserta
los instrumentos
utilizados durante
la cirugía

Instrumentos quirúrgicos
El sistema tiene una
variedad de herramientas
intercambiables, con un
diámetro de 5mm
aproximadamente

Brazo robótico

La ventaja de esta modalidad

Permite una variedad más amplia de maniobras incluso que las de la mano humana, así como una mayor precisión y detalle en los movimientos quirúrgicos.

Contraindicaciones

A pesar de sus ventajas, la cirugía laparoscópica no es recomendable para todos los tipos de pacientes, ya que, como se dijo, para poder tener una buena visibilidad en el abdomen, es necesario insuflar gases, principalmente CO_2 (dióxido de carbono). Estos gases pueden tener repercusión sobre el corazón, los pulmones y los órganos abdominales, que se ven afectados por la presión ejercida por el gas.

Es por eso que aquellos pacientes que tengan algún tipo de enfermedad pulmonar previa o cuyo funcionamiento cardiovascular no sea óptimo, no son buenos candidatos para este tipo de intervención.

Herramientas articuladas
Realizan movimientos
similares a los de la
articulación de la mano

Cámara endoscópica
Con su sistema de doble
lente, capta imágenes
en 3D de alta definición

Lentes

Luz

Luz

 Dato

Las técnicas de cirugía laparoscópica y robótica han demostrado ser seguras, con excelentes resultados en comparación con la cirugía abierta. Tienen las ventajas de un procedimiento mínimamente invasivo, así como menor sangrado, menor dolor en el período postoperatorio y una recuperación más temprana.

6. Otros tratamientos mínimamente invasivos

Cada vez se están publicando más estudios de procedimientos mínimamente invasivos para el tratamiento de la hiperplasia prostática benigna. En la mayoría de los casos no hay seguimiento estricto o estudios concluyentes acerca de los beneficios de dichos procedimientos o de la superioridad sobre los ya existentes. Estos estudios son optimistas y parecen ser una solución favorable para los pacientes con alto riesgo quirúrgico y en quienes un procedimiento con poca invasión sería lo ideal; además, en la mayoría de los casos el paciente no requiere hospitalización y se puede reintegrar a su vida laboral muy pronto.

A. Cirugía de próstata con láser verde (*green light laser vaporization of the prostate*)

Esta técnica consiste en el uso de un tipo de láser conocido como láser KTP (potasio-titanio-fósforo), el cual se dirige a la próstata a través de una fibra óptica elástica que viaja por la uretra y que dirige el láser hacia el tejido prostático, sobre el cual alcanza altas temperaturas que vaporizan dicho tejido y que al mismo tiempo cauterizan los sitios de sangramiento. El cirujano debe dirigir la luz solo hacia el tejido afectado para no dañar los tejidos vecinos.

Pros y contras de la vaporización de la próstata con láser verde

El láser vaporiza el tejido prostático al mismo tiempo que sella los plexos venosos, de modo que disminuye el riesgo de sangrado y las necesidades de transfusión.

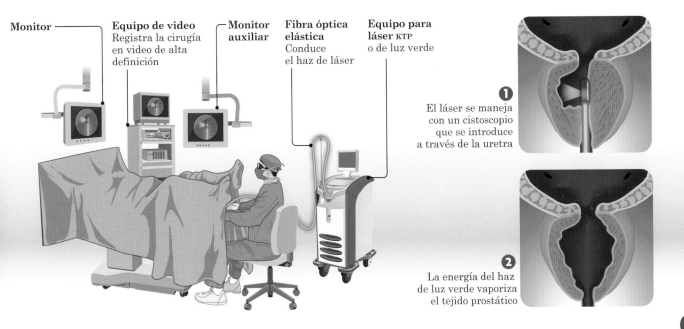

Monitor

Equipo de video
Registra la cirugía
en video de alta
definición

**Monitor
auxiliar**

**Fibra óptica
elástica**
Conduce
el haz de láser

**Equipo para
láser KTP**
o de luz verde

1 El láser se maneja
con un cistoscopio
que se introduce
a través de la uretra

2 La energía del haz
de luz verde vaporiza
el tejido prostático

Los pacientes que se someten a esta cirugía permanecen poco tiempo hospitalizados y se les puede retirar la sonda antes que a los pacientes que se operan por RTUP, aunque, a diferencia de los pacientes operados con RTUP, parece ser que algunos hombres operados con láser presentan ciertos síntomas irritativos que pueden ser difíciles de tratar. Otras complicaciones, como la estrechez de uretra, la incontinencia y la disfunción eréctil, son tan poco frecuentes como en la RTUP.

Los altos costos de la terapia con láser han impedido hacer estudios en un mayor número de centros hospitalarios. Una desventaja es que el láser permite remover aproximadamente un gramo de tejido por minuto, lo que ocasionaría largos tiempos de quirófano en hombres con próstatas grandes. Finalmente, otra desventaja es que no se puede obtener muestra de tejido para estudio patológico, por ejemplo cuando se sospecha de cáncer.

B. Cirugía de próstata con láser Holmio (*Holmium laser prostate surgery HoLEP*)

Esta técnica emplea el uso de otro tipo de láser conocido como Holmio:YAG (Ho:YAG). Se lleva a cabo típicamente en próstatas grandes, en las que en lugar de la vaporización del tejido, este láser de alta energía elimina el núcleo de la próstata desde el interior para crear un canal abierto, que después se corta en múltiples trozos con un dispositivo llamado morcelador y, finalmente, se extraen en el lavado con líquido de irrigación. Esta cirugía tiene resultados similares a la RTUP pero con menos sangrado y un tiempo de recuperación más corto, por lo que se prefiere en pacientes con problemas de sangrado o con otros riesgos quirúrgicos. Uno de los beneficios de la HoLEP es que sí se puede preservar el tejido para su estudio histopatológico. Este procedimiento requiere entrenamiento especializado, lo que ha limitado su uso generalizado.

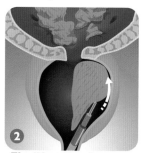

El láser es usado para separar el adenoma prostático de la cápsula fibrosa que lo rodea

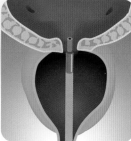

El tejido extirpado es llevado a la vejiga

El tejido extirpado se extrae en el lavado con líquido de irrigación y la cápsula prostática queda vacía

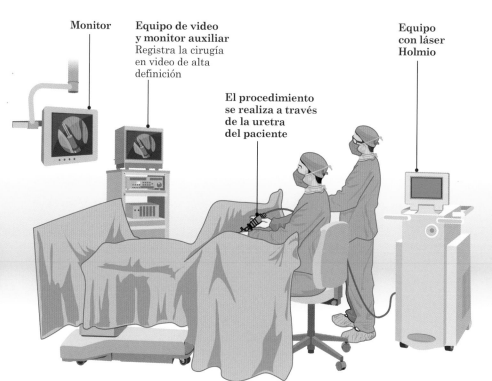

Monitor

Equipo de video y monitor auxiliar
Registra la cirugía en video de alta definición

El procedimiento se realiza a través de la uretra del paciente

Equipo con láser Holmio

Otros tratamientos
Fitoterapia

El suministro de extractos de productos vegetales también ha sido utilizado para aliviar los síntomas de la hiperplasia prostática. Se conocen algunas terapias desde el siglo XV antes de Cristo. La fitoterapia es relativamente popular en Europa; de hecho, en países como Alemania o Austria suelen representar el tratamiento de primera elección para los síntomas de la hiperplasia prostática. Los productos pueden adquirirse sin prescripción médica en tiendas naturistas, a menudo como suplementos nutricionales. Generalmente se trata de extractos de raíces, semillas o frutas.

Serenoa repens (Saw palmetto)

Es el producto más conocido por médicos y pacientes. Se extrae del árbol de palma enana, originario de Norteamérica, especialmente del estado de Florida. Existen numerosas casas fabricantes y distribuidores, por lo que se consigue con diferentes nombres comerciales. Como se le considera un suplemento nutricional, su elaboración y su eficacia no son reguladas de la misma forma que los productos farmacológicos, lo que obliga a tener reservas sobre su calidad y efectividad.

Su mecanismo de acción parece basarse en la inhibición de la proteína 5 alfa reductasa. Al igual que el finasteride, estimula la muerte de las células dentro de la próstata y tiene propiedades antiinflamatorias y antiestrogénicas; hay que recordar que los estrógenos estimulan el crecimiento del tejido fibroso y muscular de la próstata.

Sus efectos secundarios son poco frecuentes y se relacionan con fatiga, dolor de cabeza, insomnio, vómito y pérdida de la libido o deseo sexual.

81

Dato

El beneficio obtenido con la fitoterapia parece ser, en el mejor de los casos, moderado. Son muchas las dudas que hay con respecto a la confiabilidad de estos compuestos, en virtud de la poca rigurosidad con que se fabrican debido a la falta de supervisión por organismos oficiales. Se necesitan más estudios de tipo clínico, que involucren un gran número de pacientes y que tengan un seguimiento a largo plazo, antes de recomendar su empleo formal en la práctica diaria.

Recuperados de cáncer de próstata

Julio Antelo y Ricardo Antelo
Padre e hijo - 46 y 82 años

Humberto Elías
69 años

Joaquín Urdaneta
43 años

Luis Guillermo Rangel
67 años

Miguel Montenegro
41 años

¿QUÉ ES EL CÁNCER DE PRÓSTATA?
Prevención / Síntomas

Dr. René Javier Sotelo Noguera / Dr. Camilo Andrés Giedelman Cuevas

¿QUÉ ES EL CÁNCER DE PRÓSTATA?

Es la presencia de células cancerosas en la glándula prostática. Al igual que en el resto de los órganos, cuando el cáncer se desarrolla en la próstata, las células cancerosas comienzan a multiplicarse de manera descontrolada, tanto que con el paso del tiempo pueden propagarse desde la próstata a otras regiones del cuerpo, especialmente a los huesos y a los ganglios linfáticos cercanos a la glándula.

Epidemiología

El cáncer de próstata es el cáncer más comúnmente diagnosticado en hombres de América del Norte, excluyendo el cáncer de piel. El cáncer de próstata es la segunda causa de muerte por cáncer en hombres, solo superada por el cáncer de pulmón. El cáncer de próstata representa el 29% de todos los cánceres masculinos y el 9% de las muertes relacionadas con cáncer en varones.

En Estados Unidos se diagnostican:

220 000
nuevos casos cada año

- En ese país, **el cáncer de próstata es el segundo más común** entre los hombres y la segunda causa de muerte por cáncer, después del cáncer de pulmón.

- La probabilidad de desarrollar cáncer de próstata es de **19,8%,** es decir

En el año 2003

28 300 hombres murieron
por cáncer de próstata.

 Edad promedio de diagnóstico
71 AÑOS

 Edad promedio de muerte
78 AÑOS

 Cada 3 minutos se diagnosticó un nuevo caso
Cada 15 minutos un hombre murió por esta enfermedad.

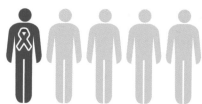

1 de cada 5 hombres estadounidenses sufrirá de este tipo de cáncer.

En Venezuela

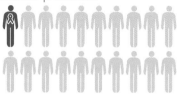

Causa Nº 1
de muerte
por cáncer

- El cáncer de próstata es **la primera causa de muerte por cáncer en el hombre.**

- Cada hombre tiene una posibilidad de **5%** de padecerlo, es decir, **1 de cada 20 hombres** tendrá cáncer prostático.

- En cada país la epidemiología del cáncer de próstata es diferente.

En Colombia

4to El cáncer de próstata es el cuarto más diagnosticado

Por cada millón de habitantes
 95 mueren a causa de esta enfermedad.

En el mundo

Incidencia y mortalidad por cáncer de próstata

Cálculos por cada **100 000 habitantes**

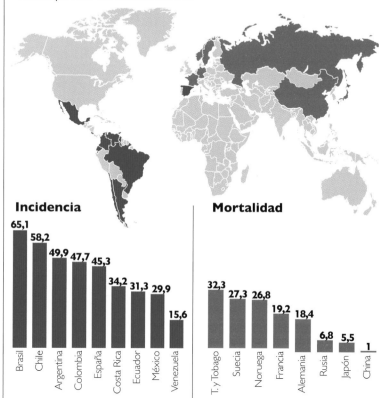

Incidencia

Brasil	65,1
Chile	58,2
Argentina	49,9
Colombia	47,7
España	45,3
Costa Rica	34,2
Ecuador	31,3
México	29,9
Venezuela	15,6

Mortalidad

T. y Tobago	32,3
Suecia	27,3
Noruega	26,8
Francia	19,2
Alemania	18,4
Rusia	6,8
Japón	5,5
China	1

Fuentes: Capote Negrin 2007 - GLOBOCAN 2008 - Fundación CAURO 2009

En líneas generales, se sabe que la detección temprana del cáncer de próstata en Latinoamérica es muy baja y que muchos pacientes llegan a la consulta con la enfermedad muy avanzada. Las campañas que permiten detectar el cáncer en la población se hacen esporádicamente.

Por otra parte, la población latinoamericana es heterogénea y sus características genéticas, su expectativa de vida, su dieta, así como el acceso a la atención en salud también condicionan estas estadísticas.

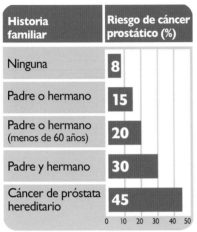

Historia familiar	Riesgo de cáncer prostático (%)
Ninguna	8
Padre o hermano	15
Padre o hermano (menos de 60 años)	20
Padre y hermano	30
Cáncer de próstata hereditario	45

Predisposición

Antes de los 50 años de edad, es raro que los hombres desarrollen cáncer de próstata, por lo que los esfuerzos para diagnosticarlo suelen acentuarse a partir de ese momento. Aunque no se sabe con precisión qué desencadena el cáncer de próstata, se han descrito varios factores que podrían estar relacionados.

Edad: La edad es uno de los determinantes. En promedio, el diagnóstico suele hacerse a partir de los 71 años. Menos del 1% de casos de cáncer de próstata se detectan en hombres menores de 50 años y solo 16%, en hombres entre los 50 y los 64 años. Sin embargo, con el desarrollo de nuevas tecnologías, se ha incrementado el diagnóstico en hombres jóvenes.

Factores hormonales: La acción de las hormonas es sin duda otro de los desencadenantes de la enfermedad. Se ha observado que tienen menos predisposición a desarrollar este tipo de cáncer los hombres que sufren de alguna falla en la hipófisis, aquellos a los que se han extirpado los testículos o sufren de algún problema hormonal que disminuye los niveles de andrógenos. Igualmente, se ha relacionado la aparición de esta enfermedad en hombres jóvenes con el uso de testosterona.

Factores hereditarios: Se ha demostrado igualmente que, en hombres cuyo padre o hermano ha desarrollado cáncer de próstata, el riesgo de sufrir la enfermedad es dos veces mayor al que tiene un hombre promedio. Por ello, se recomienda que, si hay alguna historia familiar de la enfermedad, se practiquen exámenes como el tacto rectal y el antígeno prostático específico a edades tempranas –a partir de los 40 años– y acudir al urólogo por lo menos una vez cada 6 meses después de los 50 años de edad. Entre 11% y 15% de los pacientes con cáncer de próstata tienen historia familiar de esta enfermedad.

Susceptibilidad genética: Con los estudios del genoma humano y, más recientemente, de las proteínas que integran el ADN humano (es decir, toda la información genética de la especie) se han descrito varias mutaciones o cambios en algunos cromosomas que generarían alteraciones celulares, lo que acelera la aparición del cáncer. Varios estudios han develado nuevos marcadores que en un futuro muy cercano serán la antesala a una nueva perspectiva de la prevención y el tratamiento del cáncer de próstata.

Dieta: La alimentación también juega un papel importante. Se sabe que personas que tienen sobrepeso o problemas de metabolismo de las grasas tienden a desarrollar más cáncer de próstata que aquellos que siguen dietas balanceadas. Hay investigaciones que sugieren que el selenio y la vitamina E, así como los isoflavonoides que se encuentran en varios productos alimenticios, contribuyen a prevenir el cáncer de próstata.

Localización geográfica: Parece ser que los hombres que viven en países con poca exposición al sol son más propensos a sufrir cáncer de próstata por los niveles bajos de vitamina D que presentan.

Tabaquismo: Estudios serios, mas no concluyentes, indican que los fumadores pueden tener más riesgo de desarrollar cáncer de próstata. Al parecer la nicotina, que es altamente tóxica, podría generar algún cambio celular y hormonal que favorecería la enfermedad.

Exposición al cadmio: El cadmio es un mineral que se encuentra en los cigarrillos al igual que en las baterías alcalinas. Interfiere con el zinc, que es un elemento químico vital para muchas actividades del organismo, incluyendo algunos de los procesos funcionales que ocurren en la próstata. Se ha encontrado que las personas con cáncer de próstata tienen bajos niveles de zinc en su organismo.

Vasectomía: Se creía que este procedimiento, usado y difundido ampliamente para el control de la natalidad en los hombres (equiparable a la ligadura de trompas en la mujer) podría tener algún papel en la predisposición al cáncer prostático; sin embargo, no hay evidencia que sugiera una relación directa entre cáncer de próstata y vasectomía.

Cáncer de próstata por raza y grupo étnico
EE UU (1999- 2006)

Leyenda:
- ●— Afroamericanos
- ●— Caucásicos
- ●— Hispanos
- ●— Indoamericanos
- ●— Asiáticos

Tasas calculadas por cada 100 000 personas.

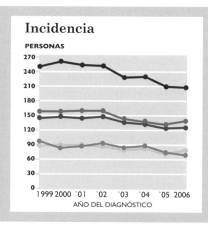

Incidencia

PERSONAS

270 – 240 – 210 – 180 – 150 – 120 – 90 – 60 – 30 – 0

1999 2000 '01 '02 '03 '04 '05 2006

AÑO DEL DIAGNÓSTICO

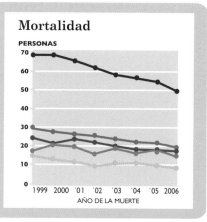

Mortalidad

PERSONAS

70 – 60 – 50 – 40 – 30 – 20 – 10 – 0

1999 2000 '01 '02 '03 '04 '05 2006

AÑO DE LA MUERTE

Prevención

Detección oportuna: Una de las grandes controversias de la medicina preventiva es si la prueba del antígeno prostático específico debe o no ser parte del examen periódico de salud.

Para dar respuesta a esta pregunta debe tenerse en cuenta que el cáncer de próstata es el más frecuente de los tumores letales y la primera causa de muerte por cáncer entre los hombres.

El uso del antígeno prostático específico ha influido en que aumentara la detección del cáncer de próstata, pues ahora se diagnostica más. Al mismo tiempo, ha comenzado una disminución de la mortalidad.

Los hombres con cáncer de próstata localizado tienen una probabilidad que va entre el 20% y el 60% de los casos de morir por esta causa si no reciben tratamiento.

Por ejemplo, ahora en Norteamérica, aproximadamente el 60% de los tumores detectados por análisis del antígeno prostático específico son tumores localizados, por lo que es posible que el urólogo pueda ofrecer un tratamiento curativo al paciente.

En los últimos 10 años, gracias a los programas de detección oportuna, ha disminuido de manera importante el diagnóstico de cáncer de próstata en estadios avanzados.

Dato

La pesquisa, según la Organización Mundial de la Salud, es la aplicación de una prueba sencilla en una población saludable, para identificar a aquellos individuos que tienen alguna enfermedad, pero que todavía no presentan síntomas. En el caso del cáncer de próstata, la pesquisa se dirige a hombres de 50 años o mayores y a hombres de 40 años o mayores si son afrodescendientes o con un familiar de primer grado que haya sido afectado por la enfermedad.

Prevención primaria

La información actual sobre los factores de riesgo del cáncer de próstata sugiere que algunos casos pueden prevenirse. Un posible factor de riesgo que puede cambiarse es la dieta. Se puede disminuir el riesgo de padecer cáncer de próstata con una alimentación baja en grasas y rica en verduras, frutas y cereales.

La Sociedad de Cáncer de Estados Unidos recomienda alimentarse con una variedad de comida saludable, con énfasis en la de origen vegetal, y limitar el consumo de carne roja. Aconseja también el consumo diario de fruta y productos con fibra, pan, cereales, arroz. Estas sugerencias nutricionales también sirven para disminuir el riesgo de otros tipos de cáncer.

Los tomates, los cítricos y la sandía son ricos en licopenos. Estas sustancias, parecidas a las vitaminas, son antioxidantes que pueden ayudar a prevenir las mutaciones del ADN y, por lo tanto, disminuir el riesgo de cáncer de próstata.

También se han estudiado los efectos de la vitamina E y el selenio como preventivos.

Varios estudios asocian los antiinflamatorios no esteroideos, como la Aspirina® tomada diariamente, con una menor incidencia de cáncer de próstata en varones de 60 años o más.

Hay que tomar en cuenta que la causa exacta del cáncer de próstata es desconocida, y que hay factores de riesgo, como la edad, la raza o la historia familiar, que no pueden controlarse.

Prevención secundaria

El tratamiento anticipado gracias a la detección temprana reduce la morbilidad y la mortalidad asociadas a la enfermedad. En Estados Unidos y en Europa se realizan desde hace unos años algunos estudios para esclarecer si la pesquisa con antígeno prostático específico reduce o no la mortalidad por cáncer de próstata.

Hasta la fecha, la pesquisa en hombres sanos ha mostrado ser útil, a pesar de las críticas que se han hecho a algunos estudios. Lo que se encuentra en la literatura médica induce a pensar que es una herramienta útil y disminuye la mortalidad.

Uno de los estudios más reconocidos es el de Tirol, una ciudad austríaca en donde se inició en los años noventa una pesquisa con antígeno prostático específico. La investigación mostró que hubo disminución de mortalidad por cáncer de próstata en el período analizado (entre 1999 y 2003) en comparación con otras ciudades donde no se realizaron las pruebas de antígeno.

El efecto de los programas de pesquisa depende de la sensibilidad y la especificidad del método de detección, pero también de la eficacia de la terapia aplicada para los casos detectados. En Tirol, a la mayoría de estos pacientes se les realizó la extirpación quirúrgica de la próstata y las vesículas seminales (prostatectomía radical) con buenos resultados.

En Estados Unidos el estudio más importante de tamizaje para la detección de cáncer de próstata mostró que el diagnóstico ha aumentado drásticamente desde 1988, pero muestra controversia sobre los beneficios de la pesquisa. Un estudio comparó dos grupos de hombres: uno al que se le hizo la prueba de antígeno prostático específico y otro al que no; después de 10 años de seguimiento se encontró una tasa de muerte muy baja, sin diferencias significativas entre los dos grupos. El denominado estudio europeo evidenció una disminución de la mortalidad de 20% en los pacientes sometidos a pesquisa, luego de 8 años de haberse iniciado.

Un estudio reciente e importante, realizado en Suecia, comparó dos grupos de 10000 hombres entre 50 y 65 años de edad. Lo que se encontró fue una mayor incidencia en el grupo de hombres a quienes se les practicó APE, pues hubo diagnóstico de cáncer de próstata en 12,7% de los hombres. En el segundo grupo (sin APE), el diagnóstico se redujo a 8,2% de los participantes. Esto quiere decir que hubo 1,6 veces más diagnósticos de cáncer de próstata en quienes se sometieron a la prueba regularmente. Concluyeron que la pesquisa con APE reduce la mortalidad por cáncer de próstata a la mitad.

Sintomatología

El cáncer de próstata rara vez ocasiona síntomas y, cuando lo hace, lo más probable es que se trate de un tumor en etapa ya avanzada; esto se debe a que la mayoría de los tumores se forman en la parte periférica de la próstata, o sea, lejos de la uretra, por lo que siguen creciendo y no ocasionan ningún malestar. Cuando el tumor crece cerca de la uretra o del cuello de la vejiga, es entonces cuando puede ocasionar síntomas irritativos u obstructivos (véase capítulo 2) que resultan poco sospechosos de cáncer porque también se presentan en otras enfermedades prostáticas.

El cáncer prostático con invasión local puede crecer y afectar el piso de la vejiga y de esta manera ocluir el vaciamiento de la orina procedente de ambos riñones, lo que ocasiona obstrucción total e insuficiencia renal. Otros síntomas, como el dolor de huesos y la anemia asociada a insuficiencia renal, sugieren cáncer de próstata metastásico.

Posibles hallazgos durante la exploración al tacto rectal

Vista posterior

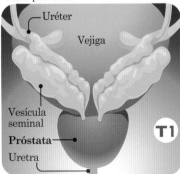

En estos casos los tumores no se pueden identificar durante el tacto rectal.

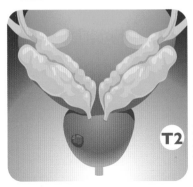

Los tumores son palpables al tacto rectal y se identifican confinados a la cápsula de la próstata.

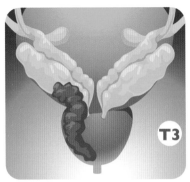

Los tumores también se identifican al tacto rectal pero se palpan ya por fuera de la cápsula prostática.

	Clasificación TNM para cáncer de próstata
	T: *tumor primario*
Tx	No se puede evaluar el tumor primario
T0	No hay evidencia de tumor primario
T1	**Tumor no evidente clínicamente**, no palpable ni visible mediante técnicas de imagen
T1a	Tumor detectado como hallazgo fortuito en una extensión **menor del 5% del tejido resecado**
T1b	Tumor detectado como hallazgo fortuito en una extensión **mayor del 5% del tejido resecado**
T1c	**Tumor identificado mediante punción biópsica** (a consecuencia de un PSA elevado)
T2	**Tumor limitado a la próstata**
T2a	El tumor abarca **la mitad o menos de un lóbulo de la próstata**
T2b	El tumor abarca más de **la mitad de un lóbulo, pero no ambos lóbulos**
T2c	El tumor abarca **ambos lóbulos**
T3	Tumor que se extiende a través de la cápsula prostática
T3a	Extensión extracapsular unilateral o bilateral
T3b	Tumor que invade la(s) vesícula(s) seminal(es)
T4	Tumor fijo o que invade estructuras adyacentes distintas de las vesículas seminales: cuello vesical, esfínter externo, recto, músculos elevadores del ano, y/o pared pélvica
	N: *ganglios linfáticos regionales*
Nx	No se pueden evaluar los ganglios linfáticos regionales
N0	No se demuestran metástasis ganglionares regionales
N1	Metástasis en ganglios linfáticos regionales
	M: *metástasis a distancia*
Mx	No se pueden evaluar las metástasis a distancia
M0	No hay metástasis a distancia
M1	Metástasis a distancia
M1a	Ganglio(s) linfático(s) no regionales
M1b	Hueso(s)
M1c	Otra(s) localización(es)

Ohori M, Wheeler TM, Scardino PT. The New American Joint Committee on Cancer And International Union Against Cancer TNM Classification of Prostate Cancer: Clinicopathologic Correlations. Cancer 74 (1994):104-114.

91

TRATAMIENTOS QUIRÚRGICOS

Prostatectomía radical

Es el nombre que se le da a la cirugía empleada para extraer la próstata en pacientes con cáncer. Consiste en la remoción total de la glándula prostática, junto con las vesículas seminales y el cuello de la vejiga, para posteriormente conectar la vejiga con la uretra, que es el conducto que conduce la orina desde la vejiga, a través del pene, hacia el exterior. En casos especiales, el cirujano también puede extirpar los ganglios linfáticos regionales para evaluarlos y determinar si el cáncer se expandió más allá de la próstata.

El cirujano realiza los cortes para remover la próstata

La próstata es retirada junto con las vesículas seminales, conservando las bandeletas neurovasculares responsables de la erección

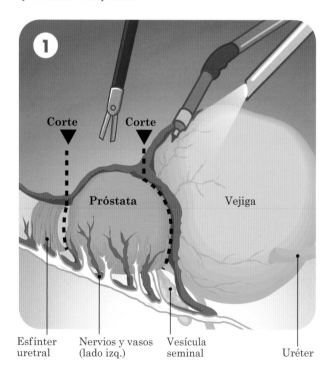

①

Corte   Corte

Próstata   Vejiga

Esfínter uretral   Nervios y vasos (lado izq.)   Vesícula seminal   Uréter

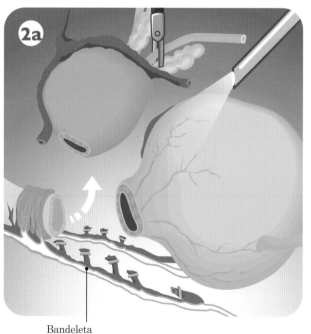

2a

Bandeleta neurovascular

Es importante señalar que, después de la cirugía, el paciente ya no volverá a eyacular, debido a la extracción de la próstata y las vesículas seminales que almacenaban el líquido seminal, pero, aunque esto suceda, el paciente conservará exactamente la misma sensación de placer durante el orgasmo. En el caso de que el paciente desee tener hijos después del procedimiento, serán necesarias ciertas técnicas de fertilización asistida para lograr la paternidad, como aquellas que consisten en la extracción de espermatozoides de los testículos para luego inyectarlos en las células sexuales femeninas (procedimientos de fertilización *in vitro*).

Resección de bandeletas neurovasculares cuando se sospecha invasión tumoral a dichas estructuras.

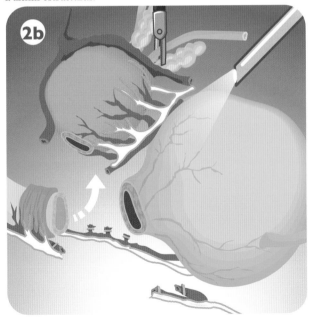

Una vez que se extrae la próstata, se reconstruye el sistema urinario uniendo la vejiga a la uretra (anastomosis).

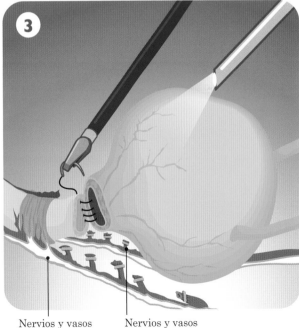

Nervios y vasos (lado izquierdo)

Nervios y vasos (lado derecho)

Indicaciones

Por lo general, la prostatectomía radical se recomienda únicamente a hombres que tengan evidencia clínica, bioquímica y radiológica de enfermedad cancerosa localizada solo en la próstata, además de gozar de un buen estado de salud general, con una esperanza de vida de diez años o más. Una excepción a esto son hombres jóvenes con sospecha de enfermedad localmente avanzada, que podrían verse más beneficiados por tratamientos combinados que incluyan prostatectomía radical, radioterapia y bloqueo hormonal que por recibir solo radioterapia y bloqueo hormonal. El urólogo se puede valer de ciertos nomogramas, como los que se muestran en la tabla, para estimar el riesgo de enfermedad extraprostática y evaluar los pros y los contras de la cirugía.

Los estudios diagnósticos disponibles en la actualidad no permiten evaluar con precisión si el tumor de la próstata se ha diseminado fuera de ella antes de la cirugía. Esto solo puede saberse después de esta, una vez realizado el examen histopatológico. Incluso ocurre en raras ocasiones (menos del 3% de pacientes) que, aun cuando los resultados de la anatomía patológica indicaban que la enfermedad estaba limitada a la próstata, el antígeno prostático específico después de la cirugía empieza a elevarse, lo que revela que posiblemente había células cancerosas que entraron en la circulación sanguínea y se diseminaron antes de la cirugía. Es por ello que los pacientes operados, aun con enfermedad confinada según la biopsia, deben controlarse anualmente por lo menos durante 10 años luego de la cirugía.

Linfadenectomía

Se le llama así a la extracción de las cadenas de ganglios linfáticos cercanos a la próstata (ganglios ilíacos y obturadores) con el fin de determinar la presencia de células cancerosas en ellos. Se indica en pacientes que se consideran de mediano o alto riesgo según se muestra en la tabla.

Grupos de riesgo para cáncer de próstata clínicamente localizado			
RIESGO	**Etapa TNM**	**Gleason**	**APE preoperatorio**
Bajo	T1c - T2a	Hasta 6	Hasta 10 ng/ml
Moderado	T2b - T2c	7	10 - 20 ng/ml
Alto	T3	8 a 10	Más de 20 ng/ml

Prostate Cancer Guidelines NCCN Clinical Practice Guideline in Urology, 2011

Tipos de prostatectomía radical

El propósito de la cirugía es erradicar el cáncer prostático, resguardando las estructuras nerviosas y vasculares responsables de la erección y separando delicadamente el área del esfínter urinario para lograr restablecer la continencia urinaria.

Las estructuras neurovasculares responsables de las erecciones viajan a los lados de la próstata en estrecho contacto con ella. Por ello, en ocasiones, si se sospecha que el cáncer puede estar en el borde de la próstata, se indica la eliminación parcial o total de estas estructuras con el objeto de aumentar la posibilidad de una extracción completa del cáncer.

En la actualidad, el uso de ciertos análisis estadísticos de resultados en pacientes operados con condiciones similares permite crear tablas de probabilidades. Al situar en estas tablas los resultados de un paciente en particular, se puede saber cuál es el riesgo de que la enfermedad se haya extendido más allá de la próstata, e incluso la posibilidad de que estén afectados los ganglios linfáticos regionales. El análisis de estas probabilidades, los resultados de la biopsia y el tacto de la próstata (en ocasiones se añade resonancia magnética nuclear), junto con los hallazgos intraoperatorios, condicionan la decisión del cirujano de extraer o conservar los nervios que están vinculados con la erección.

La cirugía puede realizarse por diferentes vías, con diferentes tipos de incisiones en la piel. La preservación de los nervios sanos es perfectamente posible en cualquiera de las técnicas y el éxito depende más de la experticia del cirujano que de la vía empleada.

Las técnicas mínimamente invasivas, laparoscópicas, con o sin robot, ofrecen la ventaja de incisiones mínimas con recuperación y reintegro más rápido del paciente a sus actividades, así como menor riesgo de complicaciones de las heridas operatorias, como infecciones o hernias, ya que se hacen solo 5 heridas que miden entre 5 y 12 mm. Sin embargo, hay que tener en cuenta que una cirugía robótica en manos inexpertas no es mejor que la cirugía abierta en manos expertas.

Algunas publicaciones reportan que, además de estas ventajas, la cirugía robótica logra un retorno más rápido de la continencia urinaria y de la función eréctil. Incluso, hay cirujanos expertos en cirugía abierta que decidieron comenzar a realizar sus intervenciones con robot y han reportado más de 2000 casos en los que los resultados de márgenes positivos (que indican que quedó tejido tumoral) son menores con el uso del robot (Universidad de Vanderbilt). Sin embargo, otra serie de estudios reportan resultados parecidos en manos expertas, independientemente de la técnica utilizada.

Hay distintas vías de abordaje para la prostactectomía. Algunas se pueden realizar con anestesia regional y otras requieren anestesia general. En promedio, la cirugía demora alrededor de 3 horas.

• *Prostatectomía radical retropúbica*

Es la más ampliamente usada en el mundo. Se puede emplear anestesia regional y es una cirugía abierta convencional. La incisión en la piel se extiende desde el ombligo hasta el pubis. Una complicación asociada a esta técnica es la hemorragia. El cirujano extirpará la glándula prostática, teniendo cuidado de preservar los nervios que controlan las erecciones en ambos lados de la próstata. También podrá eliminar los ganglios linfáticos cercanos si existe la posibilidad de que el cáncer se haya diseminado.

• *Prostatectomía radical perineal*

En este procedimiento, el cirujano hace una incisión en la piel situada entre el ano y la base del escroto (periné). Debido a la ubicación de la incisión es imposible extirpar los ganglios linfáticos regionales. La cirugía perineal tiene menos riesgos de hemorragia y normalmente tarda menos tiempo en completarse que el procedimiento retropúbico.

• *Prostatectomía radical laparoscópica*

Se desarrolla en centros médicos especializados. Este tipo de técnica requiere anestesia general y, en lugar de una sola incisión de gran tamaño, el cirujano hace varias incisiones pequeñas de entre 5 y 12 mm cada una en la pared abdominal. A través de una de ellas se introduce gas (dióxido de carbono CO_2) en la cavidad abdominal, con lo que crea un espacio de trabajo entre la pared y las vísceras abdominales. Posteriormente se introduce un tubo delgado con fuente de luz propia y una videocámara (laparoscopio) que ayudará a observar dentro del abdomen, con la posibilidad de amplificar la visión del campo operatorio con calidad óptima de alta definición (High Definition, HD). En las demás incisiones (hasta 4) se introducen otros instrumentos de trabajo como pinzas y tijeras, con los cuales se habrá de desarrollar la cirugía. Una de las dificultades para realizar este procedimiento es que el cirujano debe aprender y tener el entrenamiento adecuado en una serie de maniobras que le permitan lograr el ángulo adecuado de corte o de sutura mediante el empleo de dichos instrumentos. El aire en la cavidad abdominal comprime las venas y en consecuencia disminuye el sangrado. Con esta técnica también es posible preservar los nervios alrededor de la próstata y extirpar los ganglios linfáticos. Es evidente que la recuperación y la reincorporación del paciente a su vida diaria es mucho más rápida que en cualquiera de las técnicas quirúrgicas abiertas.

• *Prostatectomía radical robótica laparoscópica*

Hoy en día es la más frecuente en Estados Unidos y es empleada en centros muy especializados. Sigue los mismos principios oncológicos que las técnicas anteriores y puede conservar los nervios de la erección, así como obtener ganglios linfáticos en los casos necesarios. El aire en la cavidad y los puertos de acceso al abdomen se realizan de la misma forma que en la técnica laparoscópica, pero a través de ellos se introducen los brazos robóticos del sistema Da Vinci. Los brazos robóticos le dan al cirujano control con movimientos más finos y más precisos para tareas determinadas, como la preservación de nervios. Se utiliza la amplificación visual usada en la laparoscopia.

Tipos de las diferentes heridas quirúrgicas

Prostatectomía retropúbica

Prostatectomía perineal

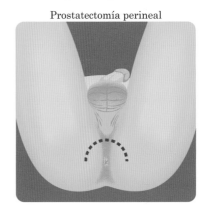

Prostatectomía laparoscópica

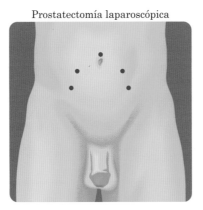

Prostatectomía robótica laparoscópica

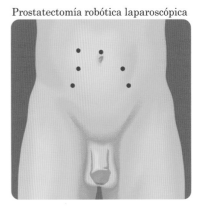

Otra de las diferencias entre la laparoscopia y la robótica es que las pinzas que se usan en la laparoscopia son manejadas directamente por las manos del cirujano, mientras que en la robótica el cirujano está sentado en una consola de controles, desde la cual transmite los movimientos de sus manos hacia los brazos robóticos que están dentro del abdomen del paciente.

En la laparoscopia el cirujano tiene la sensación indirecta de tacto entre los órganos y sus pinzas, sensación que no tiene el cirujano que utiliza el robot. Así mismo, la cámara robótica tiene una lente para cada ojo que, al fusionarse, le da al cirujano una visión tridimensional como la vista del ser humano, a diferencia de la técnica laparoscópica. Este procedimiento también requiere anestesia general y su tiempo quirúrgico es un poco más prolongado que las técnicas abiertas pero, al igual que la laparoscopia, la recuperación física y la reincorporación del paciente a sus actividades diarias son más rápidas.

Una diferencia importante es que la curva de aprendizaje para el cirujano con el uso del robot es más rápida que con la laparoscopia convencional, ya que la visión en tercera dimensión y los movimientos de los instrumentos son similares a los de la mano humana. Ambos procedimientos, laparoscopia con o sin robot, requieren un proceso de aprendizaje que se estima sobre 250 casos para lograr óptimos resultados oncológicos.

En la actualidad en Estados Unidos hay más de 1 000 sistemas robóticos empleándose en cirugías y las estadísticas demuestran que en ese país es más frecuente la cirugía con el uso del robot que la tradicional abierta. Por supuesto, un inconveniente del uso de estas tecnologías complejas son los costos: además del precio del robot -de aproximadamente 3 millones de dólares-, está el costo de mantenimiento y del reemplazo de los instrumentos, ya que cada pinza solo puede usarse en 10 procedimientos.

El avance de estas plataformas tecnológicas es vertiginoso. En la actualidad el robot más moderno tiene dos consolas; en una se coloca el cirujano y en la otra el profesor experto que lo guía para acelerar la curva de aprendizaje. Adicionalmente, están disponibles una serie de simuladores donde el cirujano puede practicar. Además, se está desarrollando el robot que entrará por un solo orificio y desplegará una serie de pinzas internamente, lo que reducirá aún más el número de punciones necesarias para la cirugía.

Preparación previa a la cirugía y después de la cirugía

10 días antes de la cirugía

El paciente debe suspender todo tratamiento con Aspirina® u otros anticoagulantes (Coumadin, Warfarina, Plavix®, etc.).

Debe realizarse todos los exámenes preoperatorios: exámenes de laboratorio, radiografía de tórax y evaluación cardiovascular.

Si el paciente es diabético, debe suspender las pastillas tipo hipoglicemiantes orales (con glibenclamida, metformina, etc.) 48 horas antes de la cirugía.

El día antes de la cirugía

Desayunar ligero a las 9 de la mañana.

A partir de las 12 del mediodía, deberá tomar la mitad de un frasco (50 ml) de laxante oral sin diluir (Fleet Fosfosoda®), seguida de varios vasos de jugos endulzados que ayuden a aliviar el sabor salado y desagradable del laxante. A las 3 horas de la primera toma, deberá ingerir la mitad restante de dicho laxante acompañado también de bebidas dulces. Este laxante oral ocasionará un aumento en las evacuaciones intestinales con la finalidad de limpiar el intestino para el día de la operación.

El paciente deberá cenar líquidos claros como agua, jugo o té hasta la medianoche, en caso de tener sed. Debe comenzar a tomar el antibiótico oral la noche antes de la cirugía. Generalmente se trata de un medicamento de amplio espectro indicado también previamente por el médico. Los medicamentos antihipertensivos no deben ser suspendidos, así como tampoco deben alterarse los horarios habituales en los que se toman. Incluso, en la mañana del día de la cirugía, se deberá tomar esta medicación e ingerirla con una escasa cantidad de agua (solamente un sorbo).

La noche antes de la cirugía, se sugiere el rasurado cuidadoso del área abdominal, desde 5 cm por encima del ombligo hasta el área genital, y un baño con agua tibia. Finalmente, en lo que respecta al equipaje: el paciente deberá llevar al hospital pantalones cómodos con cintura elástica, camisa con botones que pueda abrirse por delante y bata de baño.

El día de la cirugía

El paciente debe estar en ayuno completo. De ser necesario, solo se tomará el medicamento antihipertensivo con un sorbo de agua.

Las primeras horas después de la cirugía

En las primeras horas el paciente puede sentir frío como efecto de la anestesia, además de dolor abdominal leve, principalmente en el sitio de las heridas. Esto se puede controlar fácilmente con analgésicos administrados por vía intravenosa.

Una sensación muy frecuente es la molestia producida por la presencia de la sonda dentro de la uretra del paciente; generalmente se percibe como una irritación o un deseo intermitente de querer orinar y no poder, pero es algo leve y transitorio. Esto es normal y se debe al efecto que causan la cirugía y la sonda sobre la uretra y la vejiga. La sensación desaparece totalmente con el paso de las horas. Los familiares y acompañantes juegan un papel importante en las primeras horas de operado para ayudar a controlar la ansiedad. De presentarse una molestia más intensa, debe notificarlo al personal médico.

Incorporarse progresivamente

Se recomienda que el paciente esté tranquilo en la cama por unas dos a tres horas, sin conversar. Progresivamente, debe empezar a movilizarse en la propia cama y luego elevar el respaldo, para sentarse. Es recomendable intentar ponerse de pie dentro de las primeras 6 a 8 horas de postoperatorio.

Obviamente esto debe ser un proceso lento: progresivamente se eleva el respaldo de la cama. Si el paciente lo tolera sin marearse, puede esperar entre 10 y 15 minutos para luego sentarse. Una vez logrado esto, se espera aproximadamente el mismo tiempo y finalmente se hace el intento de ponerse de pie al lado de la cama. Luego debe tratar de dar algunos pasos dentro de la habitación. Es fundamental que esto se realice después de la evaluación del médico.

Esta posibilidad de incorporarse rápidamente es uno de los principales beneficios de la cirugía laparoscópica y robótica. Con ello se previenen complicaciones como neumonías, parálisis intestinal y enfermedades tromboembólicas, entre otras.

Dato
Necesidad de transfusión de sangre

Una de las principales ventajas de la cirugía laparoscópica y robótica es que suele haber menor sangrado. Solo 3% de los pacientes requieren transfusión de 1 o 2 unidades de sangre. A las 6 y a las 24 horas después de la operación se realizarán exámenes de sangre para determinar el nivel de hemoglobina.

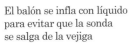

El balón se infla con líquido para evitar que la sonda se salga de la vejiga

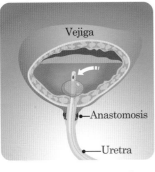

Vejiga

•—Anastomosis

•—Uretra

40 cm

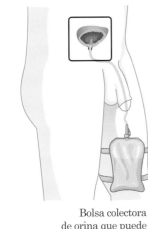

Bolsa colectora de orina que puede sujetarse a la pierna

—Válvula para inflar el balón

Inicio precoz de la dieta

Luego de 4 a 6 horas, se deben probar sorbos de agua. Si los tolera adecuadamente (no tiene náuseas o vómitos) se puede intentar con algún jugo (no cítricos) o gelatina, para iniciar la dieta completa en las siguientes horas. Igualmente, esto se hace por recomendación del médico.

Cuidados de la sonda urinaria

La sonda cumple un papel fundamental en el período postoperatorio del paciente sometido a cirugía de próstata. Permanecerá con ella por un período que va entre 12 y 15 días, según decida el médico. En consecuencia, es muy importante cuidar que no se traccione o se jale en ningún momento. La presencia de la sonda puede producir algún tipo de sensación de ardor y deseo de orinar y no poder hacerlo, pero esto es normal y cede espontáneamente. La sonda tiene un sistema interno que evita que se salga de su sitio. Sin embargo, si esto sucediera debe avisar inmediatamente al personal médico. También puede ocurrir que en ocasiones se escape un poco de orina por fuera de la sonda; esto es normal si se trata de poca cantidad.

La bolsa recolectora de orina que está conectada a la sonda debe estar siempre por debajo del nivel del vientre del paciente. Por eso, cuando se esté en cama, debe colgarse en un costado y no apoyarse sobre el colchón. Igualmente, cuando camine puede llevarla en su mano con los brazos extendidos hacia abajo.

No debe crear preocupación el hecho de que la orina tenga un color rojizo, pues es normal que se mezcle con un poco de sangre durante los primeros días después de la operación. Principalmente, se torna rojiza al caminar o al evacuar. Todo esto cede espontáneamente y la orina adquiere un color normal más rápidamente si el paciente ingiere abundantes líquidos claros (agua, bebidas cristalinas, etc.). En ocasiones pueden salir algunas gotas de sangre en el pene, alrededor de la sonda, al evacuar. Esto no es signo de alarma.

También es importante que el paciente o sus familiares, principalmente cuando ya están en casa, verifiquen que la orina esté saliendo adecuadamente por la sonda. Para este fin se debe vaciar la bolsa recolectora de orina cada 2 horas y así constatar que se vuelve a llenar regularmente.

Se suele indicar una crema para aplicarse en la punta del pene, alrededor de la sonda, para evitar que la piel se inflame.

En casa, después de la cirugía

La gran mayoría de los pacientes operados de próstata por vía laparoscópica o robótica son dados de alta al día siguiente de la cirugía y se van en buenas condiciones a casa para continuar su convalecencia. Se les indica lo siguiente:

Tomar antibióticos

Al paciente se le indica tomar antibióticos una vez que egresa de la institución hospitalaria. Este tratamiento debe cumplirse cabalmente para evitar infecciones.

Tomar analgésicos

El médico indicará el analgésico más adecuado para evitar y aliviar el dolor. Generalmente los requerimientos de calmantes son bajos a los pocos días de la operación y deben ser ingeridos según las sensaciones del paciente y los lineamientos médicos.

Mantener reposo

El paciente debe permanecer en reposo en su casa. Durante los primeros 5 a 7 días puede ir al baño, tomar una ducha, comer en la mesa, hacer las actividades habituales que no requieran gran esfuerzo físico. Se sugiere sentarse sobre superficies blandas o sobre una almohada mientras tenga colocada la sonda. Una vez cumplidas las 2 semanas de operado se pueden iniciar más actividades, como conducir un automóvil automático por cortas distancias, realizar actividades leves de oficina, etc. Se puede reintegrar parcialmente a su trabajo, no así a labores más exigentes, como albañilería, jardinería o plomería. Tampoco debe realizar ejercicios físicos o deportes. A los 30 días se puede reincorporar definitivamente a la actividad laboral, prácticas deportivas y la rutina diaria previa a la cirugía. La actividad sexual se puede llevar a cabo después del mes de operado, ya sea con erecciones naturales o bajo el tratamiento recomendado para mejorarlas, que puede ser por inyección intracavernosa o medicación oral (véase la información más detallada en el siguiente capítulo). Sin embargo, hasta los 3 meses después de la operación no debe realizar ciclismo, motociclismo ni montar a caballo.

Limpieza de las heridas

Solo es necesario el lavado de las heridas con agua y jabón durante el baño diario. Las heridas pueden quedar destapadas; no es necesario cubrirlas con apósitos o gasas.

Cuidado del dren

Generalmente el drenaje es retirado por el médico entre el segundo y el cuarto día postoperatorio, pero en algunos casos puede considerarse necesario mantenerlo unos días más. En estas ocasiones el paciente debe limpiarlo al igual que las otras heridas y debe acudir puntualmente a la cita que fije el médico para retirarlo. Para esta cita se recomienda que el paciente haya medido la cantidad de líquido que recolectó el reservorio en las últimas 24 horas, para ayudar al médico en la decisión de retiro del dren.

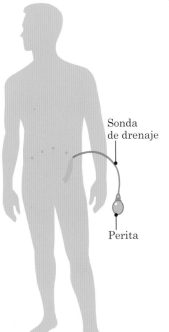

Sonda
de drenaje

Perita

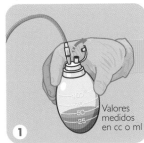

Valores
medidos
en cc o ml

① El dren viene conectado a un pequeño recipiente o reservorio, donde se colectan los líquidos drenados

② El drenaje debe ser vaciado en casa cada 24 horas, o cada vez que esté completamente lleno

③ Después de vaciarla, se debe apretar la perita para mantener la succión continua

Acudir a la consulta para retiro de sonda

Aproximadamente entre 12 y 15 días después de operado, el paciente debe acudir a consulta con el médico para evaluación y retiro de la sonda. Esta cita será fijada por el médico. El paciente debe saber que siempre existirá un cierto grado de incontinencia cuando se retire la sonda, algo que es normal y que cederá con el tiempo. Por ese motivo se sugiere acudir a consulta con un pañal de adulto. El tiempo y la severidad de la incontinencia son variables y dependen de muchos factores, por lo que se sugiere tener paciencia y entender que es parte de un proceso normal de convalecencia. Estadísticamente, más del 50% de los pacientes tienen total continencia cuando se les retira la sonda; a los tres meses, esa cifra asciende a más del 85% y a los 6 meses casi todos (95%) recuperaron la continencia urinaria.

Alimentación en casa

El paciente, una vez que egresa, puede tener una dieta completa en casa. Se recomienda consumir abundantes líquidos claros (8 a 10 vasos diarios) para mantener las orinas claras. También es bueno consumir alimentos fácilmente digeribles como vegetales, ensaladas, frutas, verduras, consomé. La dieta debe ser rica en fibra para facilitar las evacuaciones e incluir alimentos como cereales, salvado de trigo, afrecho, bran, vegetales, ciruelas pasas, yogur de ciruelas pasas, etc.

También debe tener poco contenido de grasa y preferirse alimentos como pollo o pescado a la plancha o al horno. Aquellos pacientes que previamente presentan estreñimiento y vienen tomando medicamentos laxantes (Senósidos, Psyllium plántago, etc.) deben reanudarlos.

No se recomienda tomar leche completa, frutas cítricas, huevos fritos ni bebidas alcohólicas. Toda esta dieta está dirigida a controlar el estreñimiento, pues es normal que el paciente dure hasta 4 o 5 días sin evacuar después de la intervención. Esto se debe básicamente a que en los primeros días no hay casi contenido intestinal, producto del lavado que se realizó con el enema previo a la cirugía, y en segundo lugar, porque toda cirugía produce cierto grado de enlentecimiento de los movimientos intestinales, lo que retarda la evacuación.

Reinicio de tratamientos previos

Pueden reiniciar su tratamiento después de la operación aquellos pacientes que padecen de algún tipo de enfermedad, como por ejemplo la hipertensión arterial, que amerita tomar medicamentos diariamente. En los casos de diabetes *mellitus*, deben reanudarse los hipoglicemiantes orales una vez que el paciente inicie la dieta completa y se normalicen las funciones. Los tratamientos con anticoagulantes o con aspirina deben ser suspendidos hasta que sea retirada la sonda urinaria.

Sueño

La realización de una cirugía provoca ciertas molestias y genera algo de ansiedad en algunos pacientes; por eso puede haber dificultad para conciliar el sueño. En la primera y segunda semana de postoperatorio, el paciente se encuentra en un período de convalecencia que implica un gasto mayor de energía. En tal sentido, se recomienda realizar alguna siesta durante el día para reponer un poco las fuerzas.

Estudio histopatológico de la próstata removida durante la cirugía

La pieza obtenida de la cirugía se compone de la próstata y las vesículas seminales. Cuando hay sospecha de enfermedad avanzada se incluyen los ganglios linfáticos. La pieza se estudia para conocer ciertos parámetros que determinarán si son necesarios tratamientos oncológicos posteriores a la cirugía. Estos parámetros se establecen por el grado de Gleason, los rasgos histológicos de los bordes quirúrgicos, que permiten saber si la enfermedad se extendió fuera de la próstata, si alcanzó las vesículas seminales y si hubo metástasis en los ganglios linfáticos regionales.

La información obtenida a partir de este estudio se utiliza para predecir la evolución de la enfermedad, medir la probabilidad de recurrencia bioquímica y calcular la sobrevida a largo plazo. También tiene utilidad para indicar o seleccionar la terapia adyuvante: radioterapia o terapia hormonal.

La próstata se mide en sus tres dimensiones y se pesa sin las vesículas seminales. Debe ser sumergida inmediatamente en una solución de formol al 10% para prevenir la autodestrucción de los tejidos; este proceso debe completarse en su totalidad antes de proceder a estudiarla.

La pieza debe sumergirse en un volumen por lo menos 20 veces mayor. El tiempo depende del tamaño. Se estima 1 hora por milímetro de espesor del tejido. En general toma al menos 24 horas. Luego la superficie externa se tiñe con diferentes colores para la identificación topográfica del tumor y la determinación precisa de los bordes quirúrgicos. Se corta en láminas delgadas, para luego iniciar el examen microscópico.

El número de láminas histológicas por pieza varía con un promedio de 20 por caso. En casos seleccionados se incluye totalmente, con lo que resultan hasta 60 láminas para estudio, lo que explica por qué toma varios días obtener el resultado final de la biopsia.

El examen histológico del ápex, que corresponde a la punta y a la base de la próstata, son esenciales para la evaluación, además de los bordes de resección, que se consideran positivos si el tumor está en contacto con la superficie pintada.

Resultados de la biopsia: bordes de resección positivos

El margen quirúrgico positivo se define como la extensión del tumor hasta la superficie externa de la pieza, que se manifiesta por el contacto de las células tumorales con la superficie pintada de la próstata.

La tasa media de márgenes positivos en las piezas de prostatectomía radical se sitúa en 28%, con rangos que pueden oscilar entre el 0% y el 53%. Las posibilidades de que aparezcan márgenes positivos se relacionan con varios factores, entre ellos la cifra de antígeno prostático específico (APE) preoperatorio, el estado clínico, el volumen tumoral, el porcentaje de cáncer en la biopsia y su Gleason (capítulo 4), el procesado anatomopatológico de la pieza e incluso la experiencia del cirujano.

Hoy en día la incidencia de márgenes positivos va disminuyendo progresivamente, porque la mayoría de los cánceres de próstata son diagnosticados e intervenidos de manera temprana, además de que se ha adquirido mayor experiencia quirúrgica y se siguen perfeccionando las nuevas técnicas.

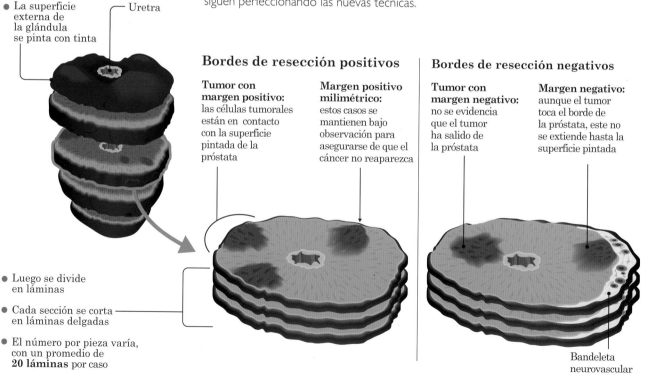

● La superficie externa de la glándula se pinta con tinta

Uretra

● Luego se divide en láminas

● Cada sección se corta en láminas delgadas

● El número por pieza varía, con un promedio de **20 láminas** por caso

Bordes de resección positivos

Tumor con margen positivo: las células tumorales están en contacto con la superficie pintada de la próstata

Margen positivo milimétrico: estos casos se mantienen bajo observación para asegurarse de que el cáncer no reaparezca

Bordes de resección negativos

Tumor con margen negativo: no se evidencia que el tumor ha salido de la próstata

Margen negativo: aunque el tumor toca el borde de la próstata, este no se extiende hasta la superficie pintada

Bandeleta neurovascular

El tratamiento para los bordes positivos es diferente en cada paciente; depende fundamentalmente de la cantidad de tejido afectado. En pacientes en los que se identifica solo un borde positivo milimétrico, se puede optar por una conducta de observación y vigilancia estrecha de acuerdo con el valor del antígeno prostático específico (APE); si este tiende a elevarse se iniciará tratamiento complementario, como radioterapia o bloqueo hormonal. En el caso de los pacientes que presentan una zona extensa o múltiples zonas con bordes positivos, el urólogo puede optar por iniciar precozmente el tratamiento adyuvante en conjunto con el radioterapeuta y el médico oncólogo para evitar la expansión de la enfermedad. Debe entenderse que cada paciente es diferente y recibirá las terapias más adecuadas de manera personalizada, ya que no solo es importante la cantidad de milímetros de contacto del tumor con la superficie, sino que también se toma en cuenta el grado histopatológico de Gleason presente, que es lo que determina la agresividad del tumor.

Resultados de la biopsia: bordes de resección negativos

Un margen quirúrgico negativo significa que no se evidencia que el tumor entre en contacto con la superficie de corte de la cirugía, lo cual sugiere que no se ha salido de la próstata y hay mejor pronóstico.

Pronóstico

La cirugía debería eliminar todas las células cancerosas. Aun así, pequeñas células tumorales pudieron haber escapado antes de la cirugía sin que se les hubiera identificado. Por ello, el médico vigilará atentamente al paciente durante un tiempo para asegurarse de que el cáncer no reaparezca. El paciente deberá hacerse chequeos regulares, incluyendo exámenes de sangre para el antígeno prostático específico y cultivos de orina. El control será inicialmente cada 3 meses durante los primeros 2 años, luego cada 6 meses durante 3 años más y luego anualmente.

Complicaciones de la prostatectomía radical

Tradicionalmente, esta ha sido una cirugía muy temida por las complicaciones y consecuencias asociadas; sin embargo, gracias a investigaciones de los últimos años, se han podido describir los detalles anatómicos y la localización exacta de los vasos sanguíneos y de los nervios (bandeletas neurovasculares) que son responsables tanto de la continencia urinaria como de la erección. Ahora que se conoce perfectamente la anatomía de la región, la técnica ha evolucionado y la cirugía se puede realizar respetando esas importantes estructuras y minimizando los riesgos asociados. Dichos riesgos son inherentes a la condición general del paciente y al acto operatorio como tal. Pueden clasificarse en riesgos generales y específicos.

Generales

Son los mismos que para cualquier otra cirugía y se incluyen los siguientes:

Reacciones alérgicas: Las alergias pueden producirse a cualquier medicamento, incluidos los anestésicos; a material de quirófano como guantes, sábanas, etc.

Infección: Puede presentarse en la herida quirúrgica o incluso en los pulmones (neumonía), en la cavidad abdominal, en la vejiga o en los riñones.

Problemas pulmonares: Atelectasia (disminución del volumen pulmonar), neumonías, tromboembolismo pulmonar.

Hemorragia: Sangrados en el momento de la cirugía o después de ella que ameriten transfusiones o reintervenciones.

Problemas cardiovasculares: Infarto, ataque cardíaco o accidente cerebrovascular durante la cirugía o después de ella.

Específicos

Son los relacionados con las cirugías empleadas específicamente para el tratamiento del cáncer de próstata:

Lesión intestinal: Es la más peligrosa de todas; consiste en la fuga de materia fecal a la cavidad abdominal como consecuencia de la apertura del colon o del recto durante la cirugía. Esta complicación es muy rara, pero en casos muy específicos, como inflamación de la próstata, antecedente de múltiples biopsias de próstata, enfermedades localmente avanzadas y cirugías de rescate luego de falla de braquiterapia o radioterapias, se hace más difícil la separación del recto de la próstata, con lo cual aumenta el riesgo de lesión.

En caso de que ocurra, lo importante es diagnosticarla. Generalmente, al repararla, mediante sutura, no se produce complicación adicional. Si no se diagnostica o la reparación falla, se produce una fístula vesicorrectal.

Fístula vesicorrectal: Esta es una comunicación entre la lesión del recto y el lugar donde se unió la vejiga con la uretra (sitio de anastomosis). Esta lesión se manifiesta con salida de materia fecal a través de la sonda urinaria y/o la salida de orina a través del recto. Esta complicación es rara y se ha reportado, en Estados Unidos, en el 1 % de pacientes que se sometieron a prostatectomía abierta retropúbica.

Incontinencia urinaria: Es la pérdida involuntaria de orina que obliga al uso de pañales. Generalmente es transitoria. El paciente progresivamente nota su recuperación. Primero durante la noche advierte que se puede levantar e ir al baño; luego durante el día percibirá que la pérdida entre las micciones disminuye y que necesita menos pañales.

Luego sustituye los pañales por toallas sanitarias o toallas de protección y así sucesivamente hasta que ya solo pierde unas gotas con el esfuerzo, ejercicio o cuando hay ingesta de alcohol.

Generalmente, al año de operados, ya 96% de los pacientes han restablecido la continencia urinaria. No todos los pacientes presentan incontinencia. De hecho, más de la mitad están totalmente continentes al retirar la sonda. Uno de los factores que influyen es la edad. Pacientes jóvenes con mayor fuerza muscular a nivel perineal recuperan rápidamente la continencia urinaria. Más adelante hay un capítulo específico dedicado a la revisión de incontinencia urinaria secundaria a la prostatectomía radical.

Otro factor importante es la precisión con la que se realice la disección del área del esfínter durante la cirugía.

Disfunción eréctil: Es la dificultad para lograr y mantener las erecciones debida a la pérdida de los nervios y vasos sanguíneos responsables de la erección, por lesión involuntaria o por resección intencional durante la cirugía.

La forma en que quede afectado el paciente depende de la edad y del estado de las erecciones previas a la cirugía, además de las condiciones generales de salud y de factores de riesgo como el tabaquismo, la diabetes y otros que tienen que ver con la microcirculación del pene. Igualmente, más adelante hay un capítulo informativo dedicado a esta probable complicación y a su tratamiento.

Estenosis uretral: Estrechamiento de la uretra debido a la cicatrización. Esta puede ocurrir en cualquier punto a lo largo de la uretra, desde la punta del pene hasta el sitio donde la uretra se une con la vejiga. Uno de los factores desencadenantes es la respuesta inflamatoria del cuerpo a la sonda uretral que se dejó luego de la cirugía. Estas estenosis también pueden verse en pacientes en los que se coloca una sonda por otras razones.

Adicionalmente, la estenosis puede ocurrir en el sitio donde se hizo el empate de la vejiga, es decir el sitio donde antes estaba la próstata. Si el paciente advierte que progresivamente, luego de la cirugía, el calibre del chorro de orina está disminuyendo, debe consultar al médico para que descarte una estenosis en el cuello de la vejiga. Otra razón para que esto ocurra, más bien rara, es que el cuerpo rechace alguno de los clips usados en la operación y lo haga en el sitio donde se restableció la continuidad de la orina, es decir, en el sitio de la anastomosis.

SEXUALIDAD Y CÁNCER DE PRÓSTATA

Sexualidad

Para poder entender cómo se afecta la sexualidad en el hombre con cáncer de próstata debemos conocer unos principios básicos sobre la respuesta sexual humana y principalmente sobre la erección.

Los profesores Alonso Acuña y Pedro Guerrero, urólogo el primero y psiquiatra el segundo, definieron la sexualidad como el conjunto de pensamientos, emociones, actitudes y comportamientos que regulan el ejercicio de la función sexual; y esta a su vez es la actividad consciente del sistema genital con fines placenteros y secundariamente reproductivos.

La sexualidad humana fue estudiada inicialmente por el Dr. William Master y la psicóloga Virginia Johnson, quienes publicaron en su libro *La respuesta sexual humana* las bases de lo que hoy sabemos sobre sexualidad humana. Con los posteriores aportes de la psiquiatra Helen Kaplan, dividimos en tres etapas o fases esta respuesta; ellas son: la fase del deseo, la excitación y el orgasmo.

Deseo sexual

Es la primera etapa de la sexualidad, la cual podríamos definir como las ganas de tener actividad sexual. El deseo, además de depender de una serie de circunstancias o situaciones que vivimos diariamente, en las cuales están involucradas las relaciones de pareja, la situación familiar, económica, laboral, etc., depende directamente, tanto en hombres como en mujeres, de unas hormonas llamadas andrógenos. En el hombre se producen principalmente en los testículos y también en otros órganos como las glándulas suprarrenales; en las mujeres, los andrógenos también son producidos por la glándula suprarrenal y por los ovarios, aunque en menor cantidad que en los hombres.

El principal andrógeno es la testosterona y por lo tanto es el principal responsable del deseo sexual.

Excitación

Es la segunda fase de la respuesta sexual, la cual se manifiesta en el hombre por la erección y en la mujer por la lubricación vaginal.

La erección se produce como una acción refleja a una serie de estímulos eróticos que pueden ser internos o externos. Los principales estímulos internos se deben a los andrógenos y se manifiestan como fantasías o pensamientos eróticos. Los estímulos eróticos externos pueden ser visuales, auditivos, olfativos, gustativos y táctiles y, dependiendo de cada persona, unos pueden ser más importantes que otros.

Orgasmo

Es el placer exquisito e intenso que se obtiene al culminar el acto sexual. El orgasmo se origina en el cerebro y se percibe más intensamente en los genitales, en las zonas que los rodean y se acompañan de sensaciones agradables en todo el cuerpo.

Los estímulos que producen la excitación, tanto internos como externos, se concentran en una región del cerebro llamado sistema límbico, en donde unos núcleos cerebrales, en presencia de la testosterona, causan un impulso neurológico que viaja a través de la médula espinal en la columna hasta el núcleo de Onuf en la parte baja de esta. De aquí el impulso va, por los nervios pélvicos y principalmente por el nervio cavernoso, hasta el pene.

El pene está formado por tres elementos: un cuerpo esponjoso dentro del cual está la uretra y que termina en el glande; y dos cuerpos cavernosos que son los principales actores de la erección. Estos cuerpos están formados por tejido eréctil, que contiene vasos sanguíneos y músculos, los cuales están rodeados por una capa gruesa que se denomina albugínea. Al pene le llega la sangre a través de las arterias peneanas y cavernosas, que son las responsables de la erección.

Cuando el pene está en flacidez, las arterias están contraídas, lo mismo que el tejido eréctil. Cuando hay un estímulo sexual adecuado, estas arterias se dilatan y crecen en tamaño, aumentando el caudal de sangre hacia el pene; simultáneamente el tejido eréctil de los cuerpos cavernosos se relaja, permitiendo la acomodación del creciente flujo de sangre. Todo este proceso es mediado por unas sustancias llamadas neurotransmisores, que facilitan la erección.

Al mismo tiempo que el pene se llena de sangre, se produce otro fenómeno mediante el cual se comprimen las venas (que son las encargadas de sacar la sangre del pene) evitando su salida y manteniendo la erección.

Entonces, para que se produzca una erección, se necesita un estímulo erótico, un impulso neurológico del cerebro al pene, una adecuada dilatación de las arterias peneanas; se necesita también la relajación del tejido eréctil y una compresión de las venas peneanas para evitar que la sangre se salga. Si alguno de estos factores no funciona, se va a presentar una falla en el proceso de erección.

La disfunción eréctil

Definimos la disfunción eréctil como la incapacidad repetida o permanente para lograr o mantener una erección que permita la penetración y una actividad sexual satisfactoria.

Conociendo los detalles que producen la erección, podemos entonces entender por qué un paciente con cáncer de próstata puede tener problemas con su sexualidad.

Los estudios de población hechos en las diversas partes del mundo muestran que la mitad de los hombres mayores de 40 años presentan algún grado de disfunción eréctil.

En algunos enfermos, el riesgo de disfunción eréctil es mayor que en hombres sanos; por ejemplo, en los diabéticos, en los hipertensos, en los que tienen elevado el colesterol y/o los triglicéridos, en los que sufren depresión, etc.; incluso algunos tratamientos como los antihipertensivos, los antiandrógenos, los antidepresivos, también pueden afectar la calidad de la erección.

Por todo ello, una función sexual ya disminuida antes de la enfermedad puede hacer más difícil su tratamiento después del cáncer de próstata.

El diagnóstico del cáncer de próstata

¿Qué hacer? ¿Qué saber?

Es natural que cuando un hombre recibe la noticia de que tiene cáncer de próstata sufra un descontrol anímico, se sienta triste, furioso o asustado, estados de ánimo que pueden empeorar la erección y su actividad sexual.

Lo primero que tiene que entender es que esta enfermedad es frecuente y, entre más edad, existe mayor riesgo de padecerla. El cáncer de próstata avanza muy despacio, es un proceso largo y es el urólogo la persona más capacitada para acompañarlo en este proceso.

 Dato

La próstata es una glándula cuya principal función es producir parte del semen; por tanto, es muy importante para la reproducción del hombre, pero no tiene ninguna relación con la respuesta sexual en general ni con la erección en particular.

El cáncer de próstata no se transmite por vía sexual, de manera que la actividad sexual que usted realice no va a empeorar su situación; las relaciones sexuales no van a enfermar a su pareja; más bien son recomendables porque mejoran la oxigenación del pene, evitan la cicatrización de los cuerpos cavernosos y previenen la disfunción eréctil. No se ha demostrado una relación entre la actividad sexual y el cáncer de la próstata.

Sin embargo, la ansiedad y la depresión que pueden presentarse al momento de saber el diagnóstico del cáncer de próstata sí pueden ocasionar disfunción eréctil, porque en estos estados se liberan sustancias del cerebro que dificultan la relajación del tejido eréctil de los cuerpos cavernosos. Si esto sucede, el urólogo le indicará un tratamiento para la ansiedad, la depresión y probablemente le prescribirá algún medicamento para la disfunción eréctil. Recuerde que el objetivo primario de la sexualidad es obtener placer, que la erección es una respuesta refleja a un estímulo erótico, y que los problemas no lo son; déjelos a un lado por el momento y disfrute.

El tratamiento del cáncer de la próstata puede, en mayor o menor grado, afectar la erección; tenga en cuenta que, independientemente del tratamiento que elija, hoy contamos con una diversidad de terapias para la disfunción eréctil, efectivas para la solución del problema.

Relación entre el tratamiento para el cáncer de próstata y la disfunción eréctil

Existen tres clases de posibilidades en el tratamiento del cáncer de la próstata:

1 *Observación*
En este caso, no olvide que su actividad sexual no afectará el curso del cáncer. Cuando tenga las relaciones sexuales, disfrútelas; y si por la edad o por algún otro problema de salud su erección no es satisfactoria, avísele a su urólogo para que inicie el tratamiento lo antes posible. Esto previene un mayor daño de la erección.

2 *Paliación (manejo de los síntomas)*
Pero si su situación es diferente y se decidió iniciar una terapia hormonal para suprimir la producción de testosterona, entonces se va a afectar el deseo de tener alguna actividad sexual. Al no interesarle el sexo, no va a tener erecciones. Algunos hombres, sin embargo, conservan sus erecciones y su actividad sexual, pero esto es muy individual.

3 *Cirugía-radioterapia*

Entre las alternativas para intentar curar el cáncer cuando está localizado dentro de la próstata están: la cirugía y la radioterapia. La cirugía que se lleva a cabo se denomina prostatectomía radical. La radioterapia se practica en forma externa o interna. Este abordaje tardío se hace directamente en la próstata y se conoce como braquiterapia. Cada una de estas modalidades de tratamiento (la cirugía y la radioterapia) tiene un riesgo de producir disfunción eréctil, porque puede afectar los nervios y los vasos (arterias y venas) que se dirigen al pene y están encargados de la erección.

La frecuencia de la disfunción eréctil después de la radioterapia externa varía entre el 25 % y el 58 % y depende de muchos factores; entre los más importantes están el tipo y la calidad de la máquina con la que se realice la radioterapia. El daño en las arterias encargadas de producir la erección es progresivo y mientras más tiempo lleve desde la radioterapia más se nota la disfunción eréctil. La radioterapia conformacional tiene mejores resultados, al poder delimitar el campo de la radioterapia con mayor precisión. Los resultados de las nuevas formas de radioterapia, como la de protones y la de intensidad modulada, están aún por conocerse, pero todo indica que sus resultados serán mejores.

4 *Braquiterapia*

Este tratamiento causa disfunción eréctil con una frecuencia similar, es decir, entre el 30 % y el 50 %. Al igual que la radioterapia externa, la radiación lesiona los vasos y los nervios que producen la erección y, mientras más tiempo pase, más se nota este fenómeno.

5 *Radioterapia*

Este tratamiento no afecta el deseo de tener relaciones sexuales a menos que se utilicen al mismo tiempo medicamentos que disminuyan o bloqueen la producción de la testosterona. Esta terapia hormonal produce un descenso del impulso sexual, afectando adicionalmente la erección.

6 *Prostatectomía radical*

También puede originar disfunción eréctil y depende de si durante la cirugía se logra o no preservar los nervios y los vasos que producen la erección. Cuando el tumor es muy grande probablemente no será conveniente conservar este paquete neurovascular, por el riesgo de dejar fragmentos de cáncer en esta zona. Esto lo decidirá su urólogo antes o durante la cirugía.

El riesgo de presentar disfunción eréctil después de la prostatectomía radical varía entre un 30 % y un 90 % dependiendo de la conservación de los paquetes neurovasculares. Un elemento que influye es la calidad de la erección que se tenía antes de la cirugía. Otro factor importante es la experiencia del urólogo, pues los que tienen más experiencia en esta cirugía logran mejores resultados.

Pero de todas maneras, si transcurren tiempos largos sin erección, el pene pierde su elasticidad y la posibilidad de recuperar la erección es menor. Por eso es importante tener estrategias tempranas para recuperar la erección.

Dentro de las estrategias para recuperar la erección más rápidamente, se debe considerar la aplicación de una inyección en el pene con un medicamento que actúa sobre los vasos (vasoactivos) y que producirá erección. Hay varios tipos de este medicamento: el alprostadil, la papaverina y la fentolamina o las mezclas de estos. Lo ideal es aplicar estos fármacos lo más pronto posible después de retirar la sonda, para lo que se emplea una aguja corta y delgada que no provoca dolor en el pene. La primera erección puede ser algo dolorosa dependiendo del medicamento que se use; podrá sentir una sensación de ardor dentro del pene cuando se pone erecto, pero esto pasará rápidamente con la disminución de la erección. Este dolor se presenta en el 30% de los pacientes en quienes se emplea alprostadil y es menos frecuente que ocurra en los pacientes que utilizan la mezcla de papaverina-fentolamina.

Tratamientos alternativos para la disfunción eréctil

Existen diferentes modalidades para el tratamiento de este padecimiento. Dependiendo de la situación de cada paciente, el urólogo escogerá la mejor alternativa. Los tratamientos que señalamos a continuación se revisarán por completo más adelante.

Terapia oral: Esta es la primera línea de tratamiento e incluye los medicamentos inhibidores de la 5 fosfodiesterasa (Sildenafil, Vardenafil y Tadalafil), los cuales son medicamentos completamente seguros y efectivos.

Dispositivos de vacío e inyecciones: La segunda línea de tratamiento consiste en los dispositivos de vacío, que son sumamente efectivos y fáciles de usar, y las inyecciones en los cuerpos cavernosos del pene, cuya efectividad hace que ambos sean también una gran alternativa.

Prótesis de pene: Finalmente, la tercera línea de tratamiento se representa por las prótesis peneanas, las cuales han demostrado ser altamente efectivas y producir buenos niveles de satisfacción tanto en los pacientes como en sus parejas.

Hoy en día contamos con todos los recursos para conseguir una erección en aquellos pacientes con disfunción eréctil. En el siglo XXI tenemos recursos efectivos para tratar eficazmente la disfunción eréctil, pero el futuro es más prometedor, porque se están estudiando alternativas fabulosas con nuevos medicamentos, con terapia genética y con la bioingeniería de tejidos.

Además, recuerde que su pareja es muy importante en este proceso; involúcrela, no la excluya. Su vida probablemente haya cambiado; la de su pareja y la de su familia también ha cambiado. Aproveche las circunstancias que puedan ser beneficiosas. Los enfermos con cáncer de próstata pueden tener una vida sexual activa y placentera. Consulte a su urólogo; él le recomendará la mejor alternativa.

DISFUNCIÓN ERÉCTIL SECUNDARIA A LA PROSTATECTOMÍA RADICAL

Fisiología de la erección

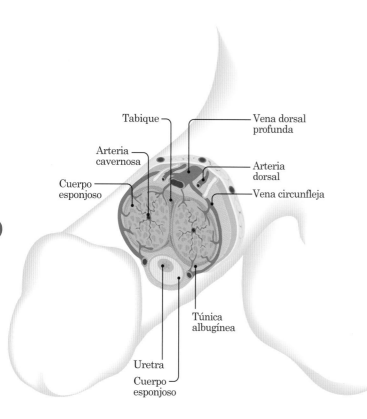

Tabique
Vena dorsal profunda
Arteria cavernosa
Arteria dorsal
Cuerpo esponjoso
Vena circunfleja
Túnica albugínea
Uretra
Cuerpo esponjoso

Estado de flacidez

Cuando no hay ningún estímulo sexual, el flujo de sangre que entra por las arterias continúa hacia las salidas venosas del pene

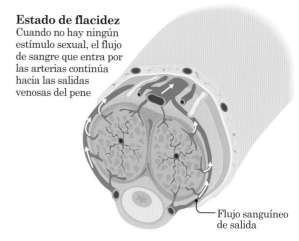

Flujo sanguíneo de salida

Estado de erección

El aumento del flujo sanguíneo arterial expande los cuerpos cavernosos y las venas se contraen para evitar que la sangre salga del pene

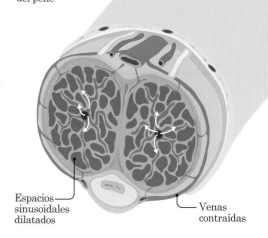

Espacios sinusoidales dilatados

Venas contraídas

Aunque la disfunción eréctil es una de las situaciones más temidas por pacientes a los que se les realiza algún tratamiento para cáncer de próstata, es bueno saber que existen diferentes alternativas para su manejo; estas son altamente efectivas e incluyen terapia sexual, medicamentos orales, medicamentos de aplicación local, dispositivos mecánicos de vacío, inyecciones para fortalecer y ejercitar los músculos cavernosos del pene e incluso prótesis de pene. Cada una se indica de acuerdo con las necesidades del paciente, procurando siempre ir de lo menos a lo más invasivo.

1. Terapia sexual

Se le llama *terapia sexual* a un conjunto de medidas que tienen como finalidad brindarle tranquilidad al paciente y complementar el efecto de los medicamentos que se habrán de emplear en el tratamiento de la disfunción eréctil. Aunque no es un tratamiento como tal, estas medidas consisten en técnicas y estrategias que ayudan a disminuir la ansiedad, mejorar la comunicación con la pareja y consolidar su apoyo emocional, así como reconocer al cuerpo propio como foco de placer. La confianza que existe en una buena relación médico-paciente resulta clave para entender mejor la situación y la terapia pertinente para cada caso.

2. Medicamentos orales

El primer grupo de medicamentos son los llamados inhibidores de la enzima 5 fosfodiesterasa. Este grupo incluye al Sildenafil (conocido como Viagra®), el Vardenafil (comercialmente llamado Levitra®) y el Tadalafil (comercialmente conocido como Cialis®). Aunque estos medicamentos se consideran de primera línea en el tratamiento de la disfunción eréctil por su efectividad comprobada, es posible que no funcionen en pacientes recientemente operados de prostatectomía radical, por lo que en ellos probablemente sean más efectivas las terapias de inyecciones intracavernosas.

Sildenafil

El Viagra® debe tomarse una hora antes de la relación, con el estómago vacío, porque los alimentos interfieren en su absorción. Su período de acción es de alrededor de 4 horas, tiempo durante el cual usted puede tener su relación sexual. Los efectos secundarios se pueden presentar hasta en el 7% de los pacientes, pero desaparecen al pasar el efecto del medicamento. Ya existe la presentación en gel oral, que contiene la misma sustancia, pero administrada en el equivalente a la mitad de una cucharada, lo cual facilita la administración y disminuye la acidez estomacal.

Vardenafil

El Levitra® es un potente medicamento que debe tomarse media hora antes de la relación. Se pueden comer alimentos no muy grasos y beber con moderación, porque tiene poca interacción con las comidas o el alcohol y su período de acción es de 4 a 5 horas. Los efectos secundarios más frecuentes son el dolor de cabeza, la congestión nasal y el enrojecimiento facial. Estas molestias también pasarán cuando pase el efecto del medicamento.

Tadalafil

El Cialis® debe tomarse 2 horas antes; puede comer y beber moderadamente, porque no tiene interacción con las comidas o el alcohol y su período de acción es de hasta 36 horas aproximadamente. Los principales efectos secundarios son el dolor de cabeza, la congestión nasal, el enrojecimiento facial y el dolor de espalda o de los músculos, molestias que, al igual que en los casos anteriores, pasarán al terminar el efecto del medicamento. La presentación es de 20 mg. Sin embargo, también existe una presentación de 5 mg, la cual se toma todas las noches independientemente de que se vaya o no a tener relaciones, con la finalidad de mantener un nivel constante del medicamento para facilitar las erecciones espontáneas todos los días. Al mismo tiempo, esta dosis baja disminuye la aparición de efectos secundarios.

Lodenafil

El Helleva® es el más reciente de los medicamentos orales. Se ha desarrollado de tal forma que su absorción y eficacia no se afectan por la ingesta de alimentos ni por el consumo de alcohol, por lo que no interviene en el estilo de vida del paciente. Su período de acción es de 6 horas y no provoca erecciones sin estímulo sexual. Igual que sus antecesores, ofrece una excelente seguridad cardiovascular y tiene efectos secundarios parecidos, aunque menos frecuentes.

Contraindicaciones de los inhibidores de la 5 fosfodiesterasa

Podemos afirmar que este grupo de medicamentos es muy seguro. Sin embargo, se contraindican en pacientes que toman fármacos para el tratamiento de la angina de pecho o para el infarto del corazón (llamados nitratos), ya que el uso simultáneo de ambos medicamentos puede ocasionar bajas significativas en la tensión arterial y ocasionar emergencias cardiovasculares. Otra contraindicación se da en aquellos pacientes en los que está prohibido realizar ejercicio físico intenso, como aquel que se emplea durante una relación sexual; es bien conocido el caso de pacientes con inactividad sexual prolongada que, al usar estos medicamentos y lograr una erección potente, fallecen al momento del acto sexual, no por el efecto del medicamento sino por la incapacidad previa del corazón para realizar tales esfuerzos.

 Dato

Es recomendable emplear siempre medicamentos de patente original. El paciente puede intentar con las diferentes sustancias y comparar entre ellas para saber cuál le resulta más efectiva y con menos efectos indeseados y, una vez identificada, podrá comparar esa misma sustancia con la presentación genérica y elegir cuál seguirá usando.

3. Medicamentos de aplicación local

Se trata de medicamentos cuya presentación es en gel o en crema y que tienen como base la prostaglandina E1 (alprostadil), una sustancia que favorece la llegada de sangre a los cuerpos cavernosos del pene y por tanto favorece la erección. Por ahora los medicamentos que existen de este tipo son poco potentes y de corta duración, aunque se encuentran en constante desarrollo y prometen ser más efectivos.

La terapia intrauretral es otra forma de aplicación local y consiste en insertar un gránulo de alprostadil dentro de la uretra. Al día de hoy, esta terapia no ha demostrado ser totalmente efectiva para lograr ni mantener erecciones adecuadas. Los efectos indeseables son el dolor peneano (32%) y el dolor o ardor uretral (12%).

4. Aparatos o campanas de vacío

Los aparatos de vacío constan de un tubo que se coloca recubriendo el pene. Este aparato se apoya sobre el pubis de tal manera que no entre aire. En el otro extremo del tubo hay un mecanismo, manual o automático, que succiona el aire del tubo produciendo un vacío interior que hace que el flujo de sangre aumente en el pene ocasionando la erección. Para mantener esta erección se debe colocar un anillo o banda elástica en la base del pene, que retiene la sangre dentro de los cuerpos cavernosos y logra, de esa manera, mantenerlo en posición de erección. Algunos pacientes refieren una erección poco duradera y una sensación incómoda de frío en la punta del pene; además, con el uso de este dispositivo puede no haber eyaculación, debido a la misma obstrucción que produce el anillo, lo que también puede ser doloroso.

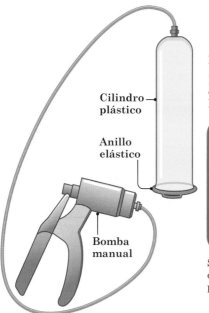

Cilindro plástico

Anillo elástico

Bomba manual

Dispositivo de vacío

Este mecanismo provoca la erección al extraer el aire del cilindro plástico, creando un vacío que conduce la sangre hacia los cuerpos cavernosos del pene

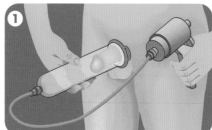

① Se coloca el cilindro sobre el pene y se acciona la bomba para provocar la erección

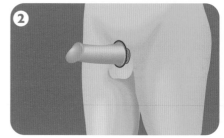

② Se desliza el anillo para evitar que la sangre salga del pene. Este método ayuda a mantener una erección hasta 30 minutos

5. Inyecciones intracavernosas

La terapia intracavernosa consiste en la inyección de medicamentos directamente en los cuerpos cavernosos del pene como tratamiento para la impotencia sexual.

Hay evidencia científica en relación con que las inyecciones intracavernosas en hombres recién operados de prostatectomía radical ayudan a restablecer las erecciones más rápidamente que los medicamentos orales, ya que en esta etapa del postoperatorio, cuando hay cierto adormecimiento de los nervios, las inyecciones favorecen más rápidamente la llegada de sangre al pene. Una vez que se logra cierto grado de erección espontánea sin ninguna inyección, entonces se continúa el tratamiento con la medicación oral, la cual completa la erección hasta que sea suficiente para lograr la penetración. Mientras no se logren erecciones parciales espontáneas, deberán continuarse las inyecciones intracavernosas.

El agente más ampliamente usado y aprobado por la FDA (Federal Drugs Administration, por sus siglas en inglés) es la prostaglandina E1 (alprostadil), el cual se emplea solo o en combinación con otros medicamentos. De acuerdo con la cantidad de sustancias usadas y las proporciones de ellas utilizadas, adquiere diferentes nombres, como se aprecia en la tabla.

Dosis de tratamiento

La dosis debe ser la cantidad mínima necesaria para lograr una rigidez suficiente para la penetración y por el tiempo adecuado; de esta forma se reducen los riesgos de una erección prolongada; en general, a menores dosis, menores riesgos. Habitualmente se inician dosis bajas y se van aumentando hasta lograr el efecto deseado, y no al revés. Las dosis son diferentes en cada hombre, dependiendo de su edad, de su estado de salud (diabetes, etcétera) y de la mezcla de sustancias que contenga el fármaco a inyectar.

Medicamento	Papaverina		Alprostadil (prostaglandina E1)
Caverject®			10 y 20 mcg
Bimix®	30 mg	05 mg	
Bimix Plus®	30 mg	1 mg	
Trimix®	30 mg	1 mg	10 mcg
Trimix Plus®	30 mg	2 mg	20 mcg
Super Trimix Plus®	30 mg	2 mg	40 mcg

Modo de **administración**

Para aplicar el medicamento se emplea el mismo tipo de inyectadora que la utilizada para administrar insulina a los pacientes diabéticos, la cual tiene capacidad de un mililitro y cuenta con una aguja pequeña y delgada en la punta.

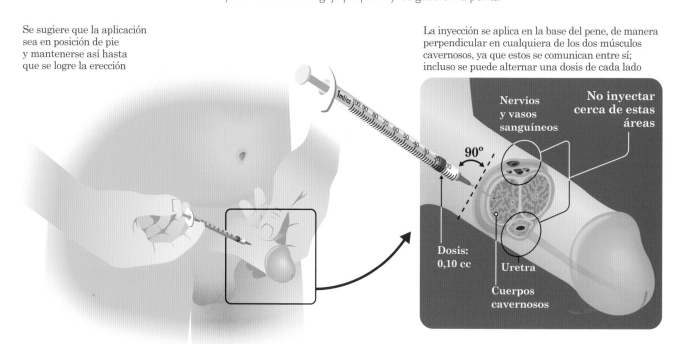

Se sugiere que la aplicación sea en posición de pie y mantenerse así hasta que se logre la erección

La inyección se aplica en la base del pene, de manera perpendicular en cualquiera de los dos músculos cavernosos, ya que estos se comunican entre sí; incluso se puede alternar una dosis de cada lado

Nervios y vasos sanguíneos

No inyectar cerca de estas áreas

90°

Dosis: 0,10 cc

Uretra

Cuerpos cavernosos

Una vez realizada la aplicación, se debe comprimir el sitio de la punción con un algodón humedecido con alcohol y presionar durante 5 minutos para evitar que se produzca un hematoma, ya que este podría fomentar la fibrosis del área y comprometer la función del cuerpo cavernoso.

En el caso de que la administración sea dolorosa, debe verificarse si el dolor es por la punción o es por el líquido. Si es por la punción, el paciente debe recibir entrenamiento para la correcta aplicación, y en el caso de que el dolor sea ocasionado por el mismo fármaco, este puede diluirse con un anestésico local que disminuya el efecto irritante y mejore la erección.

En el caso de que la erección dure más de 4 horas, el paciente debe comunicarse de urgencia con el urólogo para recibir el tratamiento que revierta el efecto.

Complicaciones

Se presentan más frecuentemente en pacientes que se administran una dosis mayor a la recomendada, o en aquellos que se aplican la inyección más de una vez en menos de 24 horas.

Fibrosis

Consiste en el endurecimiento de los cuerpos cavernosos. Se puede presentar entre el 0,5 % y el 31 % de los pacientes y parece estar en relación con el número de inyecciones aplicadas. Para prevenirla, el paciente debe comprimir el sitio de la inyección durante 5 minutos (hasta 10 minutos en hombres que toman anticoagulantes). En la mayoría de los casos, los nódulos desaparecen dentro de los primeros meses de suspendido el tratamiento.

Priapismo

Es una erección persistente y dolorosa que puede comprometer la función del pene. Se presenta en el 1 % de los pacientes que reciben este tratamiento. Cualquier hombre que persista con la erección durante más de 4 horas después de haberse aplicado la inyección, primero debe aplicar hielo local para intentar que disminuya la erección y, en caso de no mejorar, debe acudir al médico de urgencia para recibir un tratamiento a base de fenilefrina, que contrarreste el efecto del medicamento. Una erección que dure más de 6 horas puede ocasionar cicatrices irreversibles en los cuerpos cavernosos del pene y ocasionar pérdida completa de la función eréctil. Debido a estos efectos colaterales potenciales, el médico debe prescribir la dosis efectiva más baja.

Contraindicaciones

La terapia de inyección intracavernosa se contraindica en pacientes con anemia de células falciformes y en pacientes con esquizofrenia u otros desórdenes psiquiátricos.

6. Prótesis de pene

En la tercera línea de terapia están las prótesis o implantes peneanos. Estas se colocan desde hace 40 años y han demostrado que son efectivas y proporcionan una vida sexual activa y satisfactoria.

Hay varias clases de estos implantes, pero los que más se usan actualmente son las prótesis maleables (mecánicas) y las prótesis inflables (hidráulicas). Ambos dispositivos consisten en 2 cilindros, de los cuales uno ocupa cada cuerpo cavernoso y son permanentes.

Prótesis maleables

Las prótesis maleables o semirrígidas son más fáciles de usar; el pene permanece rígido y con la mano se puede dirigir hacia arriba y enfrente, durante la actividad sexual, y hacia abajo o a los lados cuando no se desee tener relaciones sexuales. Estos dispositivos pueden ocasionar ciertas incomodidades, como cuando se usa un traje de baño o se practica algún deporte.

Prótesis de barras semirrígidas

Se colocan dos barras de silicona en los cuerpos cavernosos del pene

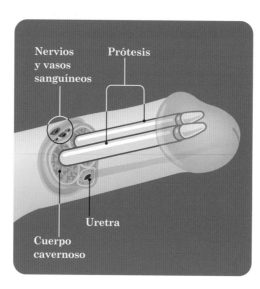

Nervios y vasos sanguíneos

Prótesis

Uretra

Cuerpo cavernoso

La flexibilidad de la prótesis permite dirigirla manualmente en posición de erección

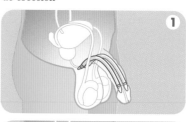

1

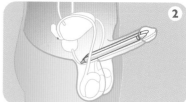

2

Prótesis inflables

Estas prótesis tienen varios componentes. Hay un reservorio de líquido estéril que se coloca detrás del pubis y una válvula que se coloca en el escroto (al lado del testículo), la cual, si se presiona en un sentido, el líquido viaja a los dispositivos que se encuentran dentro del pene y se produce la erección; al presionar la válvula en sentido contrario, el líquido regresa al reservorio, el pene se vacía y regresa al estado de flacidez.

En cualquiera de las dos variedades de prótesis, la cirugía es poco dolorosa. Por una pequeña herida en el escroto y/o encima del pubis se colocan los implantes dentro de los cuerpos cavernosos. La anestesia puede ser general, regional o incluso en algunos casos anestesia local; de cualquier forma, se considera una cirugía de bajo riesgo que proporciona un alto grado de satisfacción entre los que portan estos dispositivos y sus parejas. La cirugía es ambulatoria. El paciente sale de cirugía con una sonda urinaria que se retira antes de la semana de operado y podrá tener relaciones 6 semanas después de la cirugía.

Reservorio de líquido

Válvula de control

Cilindros inflables

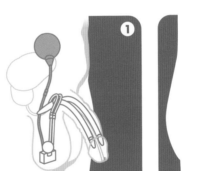

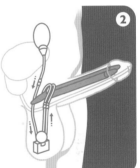

Complicaciones

Las principal complicación es la infección, que se puede presentar en el 6% de los pacientes operados y, para evitarla, el paciente recibe antibióticos desde antes de la cirugía y los continúa unos días después. Si hay infección, por lo general hay que retirar el implante. La infección es más frecuente en pacientes diabéticos, por lo que ellos requerirán cuidados especiales.

El rechazo del cuerpo a la prótesis y la erosión del material implantado fuera del cuerpo ocurre en menos del 3% de los pacientes. El mecanismo de funcionamiento de las prótesis inflables eventualmente puede fallar, por lo cual sería necesario cambiar la parte que no funciona o cambiar la prótesis completa (esto sucede en menos del 1% de los pacientes). El principal problema de las prótesis es su costo, el cual tiende a ser elevado.

INCONTINENCIA URINARIA SECUNDARIA A LA PROSTATECTOMÍA RADICAL

Definición

La incontinencia urinaria o pérdida involuntaria de orina, como define este padecimiento la Sociedad Internacional de Continencia, ha sido calificada como un problema social e higiénico que merece la atención de médicos y pacientes. No es una condición rara, porque puede afectar entre 3% y 19% de la población masculina general y hasta al 19% de los hombres mayores de 60 años de edad.

Puede ocurrir durante esfuerzos físicos como toser, estornudar, pujar, levantar objetos pesados, caminar o incluso durante la actividad sexual. En esos casos se habla de incontinencia urinaria de esfuerzo. Cuando la pérdida de orina ocurre acompañada de un fuerte deseo de micción (repentino y difícil de soportar), se conoce como *incontinencia urinaria de urgencia*. Si están presentes ambos tipos de incontinencia, es decir, tanto de esfuerzo como de urgencia, ocurre una incontinencia urinaria mixta.

Por otra parte, existe la incontinencia urinaria por rebosamiento, que es aquella que ocurre de forma inadvertida para el paciente, sin relación con esfuerzos y sin síntomas de urgencia. Clínicamente se manifiesta como una pérdida constante de pequeñas cantidades de orina, y usualmente es causada por un deterioro de la capacidad de la vejiga para contraerse. Debe diferenciarse de la incontinencia urinaria continua, que se refiere al escape involuntario y permanente de orina, que por lo general está en relación con un déficit del funcionamiento del esfínter, bien sea por lesiones neurológicas o musculares.

Órganos responsables del control de la orina

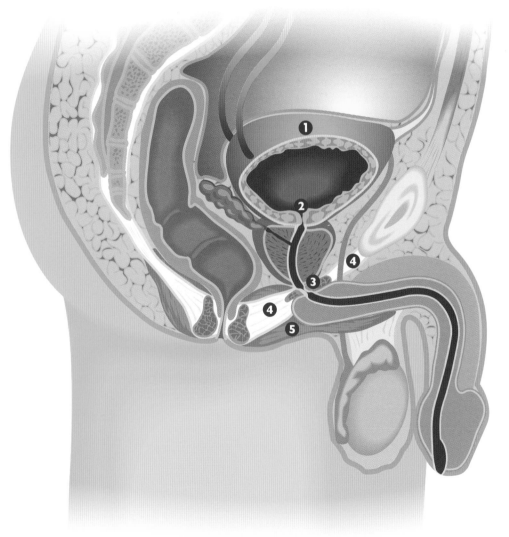

1 Vejiga
2 Esfínter interno
3 Esfínter uretral
4 Nervios
5 Músculos del piso pélvico

Órganos responsables del control de la orina

1 *La vejiga:* gracias a la propiedad elástica de sus fibras musculares, puede adaptarse a volúmenes crecientes de orina. Para ello tiene la cualidad de distenderse progresivamente.

2 *El esfínter:* es un músculo especializado que rodea la uretra, a la salida de la vejiga. Este músculo debe mantenerse cerrado mientras se llena la vejiga y debe relajarse para abrirse durante la micción. Existe un esfínter interno, cuyo mecanismo de control es involuntario, y un esfínter externo, que responde al control voluntario.

3 *Los músculos del piso pélvico:* son un conjunto de músculos que se encuentran en la parte baja de la pelvis y son los responsables de sostener la vejiga, la uretra y órganos relacionados.

4 *Los nervios:* salen de la parte baja de la médula espinal y se dirigen tanto a la vejiga como al esfínter y músculos del piso pelviano. Son los responsables de enviar señales nerviosas para que la vejiga se relaje durante el llenado vesical y el esfínter se mantenga contraído y, luego, durante la micción, permiten la contracción de la vejiga, con relajación simultánea del esfínter urinario. Todo esto se ejecuta bajo la coordinación de los centros neurológicos superiores: el cerebro y el tallo encefálico.

Las causas de incontinencia urinaria son múltiples en ambos sexos. Puede deberse a malformaciones congénitas, enfermedades neuromusculares, infecciones, accidentes o a la ingesta de ciertos medicamentos, entre otras causas. En este capítulo haremos mayor referencia a la que se presenta en relación con el tratamiento del cáncer de próstata.

La aparición de síntomas de incontinencia después de una cirugía es muy variable. Depende de la edad del paciente, del grado de continencia previa a la cirugía, del tipo de cirugía empleada y del grado de experticia del cirujano. Múltiples estudios señalan que ocurre incontinencia entre el 1% y el 12% de los pacientes a los que se les ha realizado prostatectomía radical por diferentes técnicas quirúrgicas. La estadística también varía según la definición de incontinencia utilizada (de esfuerzo, de urgencia, etc.).

Saber que existe la posibilidad de presentar incontinencia urinaria después de la prostatectomía radical o de otros tratamientos para el cáncer de próstata puede ser muy desalentador. Sin embargo, cuando se presenta, el paciente debe saber que hay muchas alternativas para tratarla con éxito.

Diagnóstico

Para realizar el diagnóstico es necesaria la evaluación por un urólogo, quien determinará el tipo de incontinencia y la causa. Así se podrá proporcionar el tratamiento más adecuado según cada tipo de paciente.

Debe descartarse una infección urinaria mediante la realización de un examen de orina y/o un cultivo de orina. Las infecciones urinarias causan inflamación de la mucosa vesical, produciendo aumento de la frecuencia con la que el paciente va al baño a orinar, sensación de urgencia y, ocasionalmente, escapes involuntarios de orina.

Existen varias herramientas diagnósticas que permiten precisar el tipo de incontinencia que afecta al paciente. La evaluación comienza con una entrevista, que permite establecer varios aspectos:

-Frecuencia y severidad de la incontinencia.

-Cuánto afecta la calidad de vida y las actividades cotidianas en las esferas laboral, social y personal.

-Existencia o no de otras causas de la incontinencia o de otros problemas asociados.

Igualmente, se procede a un **examen físico** para evaluar si existen lesiones irritativas en la piel por el contacto permanente con la orina, examinar la sensibilidad de los reflejos, así como del tono muscular del esfínter anal y los músculos pelvianos.

El **diario miccional** es una herramienta diagnóstica muy importante, pues permite evaluar la relación entre la cantidad de líquidos que se ingiere, la frecuencia con la que se va al baño a orinar, y lo que es más importante, la frecuencia y severidad de los escapes de orina, así como su relación con los esfuerzos o la urgencia. Igualmente, se evalúa la necesidad de uso de pañales o toallas protectoras, o cambios de ropa interior. Usualmente, es apropiado hacer un registro de 3 a 5 días. Se aconseja que el paciente mantenga su ingesta habitual de líquidos e, igualmente, que realice las actividades cotidianas que usualmente efectúa, es decir, que no introduzca cambios en sus hábitos mientras realiza este registro. Mientras más fidedigno sea el diario, mayor será la calidad de la información obtenida, lo que permite una mejor toma de decisiones.

Diario miccional

Nombre _____ Fecha _____

Hora	Bebidas		Micción voluntaria				Escapes accidentales de orina				
	¿Qué toma?	¿Qué tanto?	Poco	Normal	Mucho	¿Cuántas veces?	Poco (unas gotas)	Moderado	Mucho	¿Qué estaba haciendo?	¿Usted siente urgencia?
7-8 pm			☐	☐	☐		☐	☐	☐		Sí ☐ No ☐
8-9 pm			☐	☐	☐		☐	☐	☐		Sí ☐ No ☐
9-10 pm			☐	☐	☐		☐	☐	☐		Sí ☐ No ☐
10-11 pm			☐	☐	☐		☐	☐	☐		Sí ☐ No ☐
11-12 pm Medianoche			☐	☐	☐		☐	☐	☐		Sí ☐ No ☐
12-1 am			☐	☐	☐		☐	☐	☐		Sí ☐ No ☐
1-2 am			☐	☐	☐		☐	☐	☐		Sí ☐ No ☐
2-3 am			☐	☐	☐		☐	☐	☐		Sí ☐ No ☐
3-4 am			☐	☐	☐		☐	☐	☐		Sí ☐ No ☐
4-5 am			☐	☐	☐		☐	☐	☐		Sí ☐ No ☐
5-6 am			☐	☐	☐		☐	☐	☐		Sí ☐ No ☐

Número de pañales o toallas usados hoy _____

Otras pruebas

La mayoría de las veces la evaluación clínica, el diario miccional, un examen físico completo y el examen de orina o urocultivo son suficientes para un diagnóstico inicial y para programar el tratamiento. Sin embargo, en algunos casos el médico podrá requerir evaluaciones más profundas.

Uretrocistoscopia

Es la introducción, bajo anestesia local, de un pequeño aparato, que puede ser rígido o flexible, dotado con una cámara, que permite evaluar el conducto urinario, el esfínter y la vejiga por dentro.

Estudio urodinámico

Permite evaluar el comportamiento de la vejiga en las dos etapas del ciclo miccional, esto es: durante el llenado y el vaciado. Puede hacerse con registro simultáneo de la actividad del esfínter, mediante una electromiografía. Esta prueba permite conocer si la incontinencia ocurre por un trastorno vesical, como por ejemplo: la hiperactividad del músculo vesical, que se conoce como vejiga hiperactiva, o si, por el contrario, la incontinencia es causada por problemas del esfínter.

Pruebas neurofisiológicas

Tienen la finalidad de conocer el estado funcional de las vías nerviosas de la micción. Para realizar estas pruebas, se emplean dos equipos conectados entre sí. Uno de ellos emite una corriente eléctrica de bajo voltaje que viaja hasta estimular los nervios del piso pélvico y de ahí regresa al equipo que la originó; el sistema registra la velocidad de dicha corriente y la capacidad de respuesta de los nervios y músculos a ella. Con esto, se pueden identificar ciertos trastornos neurológicos que afectan el proceso de la micción.

Tratamiento de la incontinencia urinaria

El manejo de la incontinencia urinaria incluye una amplia variedad de tratamientos, entre los que se cuentan la modificación de hábitos personales, ejercicios, medicamentos, sondas, cirugías y otros que se enumeran a continuación.

1. Modificación de hábitos

Esto incluye varios aspectos, como:

Control de la cantidad de líquidos ingeridos

Se debe procurar que la ingesta de líquidos se mantenga entre 6 a 8 vasos al día. Esta toma de líquidos debe ser balanceada durante el día, preferiblemente antes de las idas al baño, en pocas cantidades, según la tolerancia. Hay que procurar no tomar una gran cantidad de líquidos en la noche antes de acostarse.

Control del tipo de líquidos consumidos

Ciertas bebidas son irritantes para la mucosa vesical y hacen que el paciente deba ir al baño con mayor frecuencia. Algunos ejemplos son los cítricos, el café en exceso, el té, el alcohol, las bebidas carbonatadas (refrescos) y el agua con sabor artificial.

Evitar los irritantes vesicales

Entre ellos están el cigarrillo, el chocolate, los alimentos muy condimentados o ahumados y los que contienen colorantes químicos.

Acostumbrarse a llevar un ritmo miccional saludable

Lo normal es ir al baño cada 2 o 3 horas, pero, naturalmente, el ritmo dependerá de la cantidad y calidad de líquidos ingeridos. En las noches, es necesario acostumbrarse a ir al baño justo antes de acostarse a dormir, pues así habrá menos orina en la vejiga, lo que disminuye la necesidad de levantarse en la noche para orinar.

Realizar alguna actividad física de bajo impacto (como caminar o practicar yoga), o alguna actividad recreativa

Esto contribuye al bienestar general e igualmente tonificará los músculos pelvianos.

Procurar mantener un peso corporal adecuado a la talla y contextura

Esto no solo contribuye a la salud en general, sino que también evita el aumento de la presión sobre la vejiga y con ello minimiza los riesgos de incontinencia.

Mantener una vigilancia sobre los hábitos evacuatorios

Hay que procurar una rutina diaria. En caso de presentarse estreñimiento, se recomienda consultar a un especialista.

2. Ejercicios de fortalecimiento de los músculos del piso pelviano

Son una serie de ejercicios que deben realizarse con regularidad, para mejorar el tono y capacidad contráctil de los músculos que soportan los órganos pelvianos y del esfínter urinario. Lo primero que debe hacer una persona, antes de comenzar esta rutina de ejercicios, es identificar de qué músculos se trata. Para ello su médico podrá ayudarle.

El diafragma urogenital

Comprende los músculos:

1 **el músculo bulbocavernoso**

2 **isquiocavernoso**

3 **transverso del periné**

Este grupo muscular participa en la función sexual y la actividad del esfínter.

El diafragma pélvico

Se conforma por los músculos:

4 **pubococcígeo**

5 **iliococcígeo**

6 **isquiococcígeo**

En conjunto forman el músculo elevador del ano, que es que le proporciona soporte y estabilidad a la vejiga y al intestino.

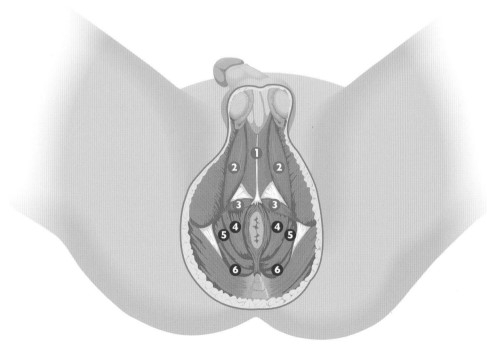

Ejercicios de Kegel

Arnold Kegel fue el primero en proponer ejercicios de contracción y relajación de los músculos de la pelvis, como una forma para el tratamiento no quirúrgico de la incontinencia urinaria. Originalmente, se proponía realizar la mayor cantidad de ejercicios posibles al día, hasta 500 veces. Muchos pacientes contraían otros músculos adicionales a los músculos pélvicos. Con el tiempo, la forma de realizar estos ejercicios ha cambiado sustancialmente. Lo que se pretende es que los músculos abdominales y glúteos se mantengan relajados, mientras se contraen los músculos pélvicos.

Igualmente, ha cambiado la frecuencia e intensidad de las contracciones, para evitar la fatiga muscular. Adicionalmente se incluyen ejercicios respiratorios para ayudar a mejorar el trabajo muscular. Los ejercicios se diseñan para trabajar tanto las fibras musculares de *contracción rápida* (que forman el esfínter estriado), como las de *contracción lenta* (que forman gran parte de la *musculatura pélvica* que proporciona el sostén de la vejiga y el recto). Hoy en día, también se les conoce como ejercicios del piso pélvico.

Ejercicios para las fibras musculares de contracción rápida

Estas fibras fundamentalmente se encuentran en los músculos que forman el diafragma urogenital y el esfínter externo (tanto uretral como anal). Son importantes para prevenir la pérdida de orina al estornudar, toser, pujar o levantar objetos pesados.

- Puede hacer los ejercicios en cualquier posición. Inicialmente, trate de buscar una posición cómoda.

- Concéntrese en su respiración, mantenga un ritmo respiratorio regular, suave.

 Contraiga fuertemente el ano, por 2 o 3 segundos de duración y luego relájelo inmediatamente.

 Haga esto de 3 a 4 veces.

- Debe cuidar que los músculos abdominales, los glúteos y los músculos de los muslos (aductores) se mantengan relajados.

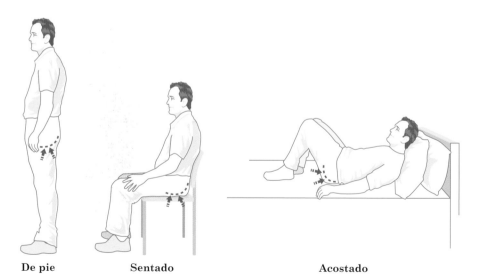

De pie **Sentado** **Acostado**

Ejercicios para las fibras musculares de contracción lenta

Las fibras de contracción lenta son de mayor resistencia que las fibras de contracción rápida, es decir, se agotan menos y por lo tanto proporcionan el soporte continuo a los órganos pélvicos. Los músculos del diafragma pélvico tienen mayormente fibras de contracción lenta, que soportan tanto la vejiga como la uretra en una posición óptima para la continencia.

Si bien el ejercicio puede hacerse en cualquier posición, es recomendable, cuando el paciente inicia la terapia, que lo realice en posición acostada con las piernas semiflexionadas, descansando sobre un par de almohadas o en posición sentada en una silla cómoda. Esto es con la finalidad de mantener relajados los músculos abdominales.

- Procure estar en un ambiente cómodo, privado, y disponga de 10 a 20 minutos para usted.

- Mantenga una respiración regular.

- Relaje su cuerpo. Concéntrese en su pelvis y en los músculos que soportan su vejiga, uretra y recto.

Contraer

Contraiga el esfínter urinario lo más fuerte que pueda, como para detener el chorro urinario, y cuente mentalmente hasta 5 segundos.

Luego, permita la relajación por un tiempo igual de 5 segundos.

Progresivamente debe incrementar la duración de la contracción hasta 10 segundos, guardando siempre el mismo tiempo de relajación.

Estas contracciones deben repetirse durante 30 veces.

Lo recomendable es hacer un total de 90 a 100 contracciones al día.

Se recomienda de manera global, ejercitarse 3 veces al día en sesiones de 30 contracciones cada vez.

Cada programa de entrenamiento se diseña según las necesidades y posibilidades del paciente, tomando en cuenta el nivel de actividad, la disponibilidad de tiempo, los horarios laborales, el nivel cognitivo del paciente, etc.

Biofeedback

El *biofeedback*, o retroalimentación, es una técnica de entrenamiento que mide y muestra en un monitor la información de lo que ocurre en el cuerpo con respecto al nivel de tensión muscular para la adecuada realización de las terapias. Normalmente, el paciente no percibe la actividad contráctil de sus músculos pélvicos. El *biofeedback* permite al paciente hacerse consciente de dicha actividad. Esta información ayuda a mejorar la habilidad para contraer determinados grupos musculares.

Para aplicar la terapia de *biofeedback* se requiere un equipo especial, que comprende:

Transductores externos
Registran las contracciones de los músculos

La unidad del *biofeedback*
está compuesta por un monitor y el equipo que lleva un registro de la actividad de los músculos pelvianos

Monitor 2
En él, el paciente visualiza la actividad contráctil de sus músculos pélvicos

La información de la fuerza contráctil es registrada por un sensor

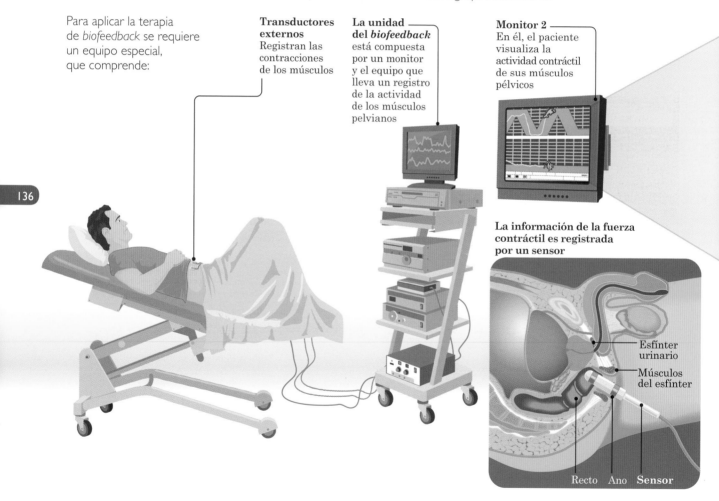

Esfínter urinario

Músculos del esfínter

Recto   Ano   **Sensor**

Imagen de pantalla

Línea que refleja
la actividad
contráctil

La figura desciende
cuando el paciente
relaja los músculos

Para mantener la figura arriba,
el paciente debe ejercer tensión
muscular durante pocos segundos

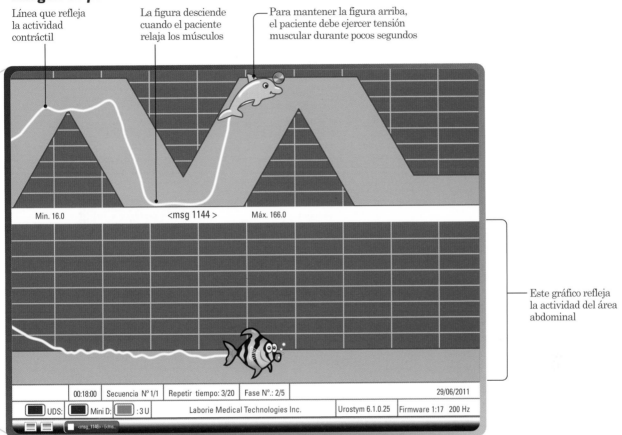

Min. 16.0   <msg 1144 >   Máx. 166.0

Este gráfico refleja
la actividad del área
abdominal

137

| 00:18:00 | Secuencia Nº 1/1 | Repetir tiempo: 3/20 | Fase Nº.: 2/5 | | 29/06/2011 |

UDS: ▮ Mini D: ▮ : 3 U   Laborie Medical Technologies Inc.   Urostym 6.1.0.25   Firmware 1:17   200 Hz

<msg_1146> - <ms...

Biofeedback

Las figuras de la pantalla
se mueven de acuerdo
con la fuerza con la que
el paciente contrae los
músculos del piso pélvico.

De esta manera el paciente
observa y cumple
la terapia programada
para su caso en particular.

 **Cada sesión tiene una duración
de entre 20 y 30 minutos.**
Inicialmente, las sesiones
duran un poco más, mientras el
paciente se acostumbra y logra
concentrarse en la terapia.

 Los programas de *biofeedback*
se realizan con una frecuencia
de 1 a 2 veces por semana.

- Existen diversos programas
preestablecidos para ejercitar
los músculos; estos varían en
tiempo, intensidad y frecuencia
de las contracciones.
- Cada programa se adapta al tipo
específico de problema
que tenga el paciente.
- El especialista escogerá el más
apropiado según cada caso.

La electroestimulación

Es una terapia que se basa en la emisión de corriente eléctrica alterna, de bajo voltaje (menor de 1 voltio), que se aplica mediante un transductor que se coloca en una cavidad (endoanal para los hombres) o mediante electrodos de superficie alrededor del ano. Esta terapia tiene como finalidad estimular eléctricamente los nervios y los músculos involucrados para ejercitarlos y mejorar su fuerza, a fin de contribuir de mejor manera a lograr la continencia urinaria. Puede ser percibida por el paciente como una sensación de hormigueo, la cual no llega a ser dolorosa.

Indicaciones de electroestimulación

- Incontinencia urinaria de esfuerzo.
- Incontinencia urinaria de urgencia o vejiga hiperactiva.
- Debilidad de los músculos del piso pelviano.
- Trastornos de relajamiento de los músculos pelvianos.
- Retención urinaria.
- Dolor pélvico.

Contraindicaciones

- Marcapasos cardíaco.
- Prótesis metálicas en región pelviana o extremidades inferiores.
- Sangrado anorrectal.
- Infecciones perineales.
- Infecciones urinarias.
- Lesiones anorrectales.
- Trastornos de la sensibilidad perineal.

3. Medicamentos

Se utilizan para la incontinencia de urgencia cuando existen contracciones de la vejiga. Para esto se utilizan fármacos como la hiosciamina, oxibutinina y tolterodina, que ayudan a controlar la incontinencia mediante la relajación y la disminución de las contracciones vesicales. Los efectos colaterales pueden incluir boca seca, visión borrosa y estreñimiento.

4. Catéteres

Si no hay contracción de la vejiga con suficiente fuerza como para expulsar la orina, será necesario colocar una sonda a través de la uretra. No es obligatorio usar la sonda permanentemente. El médico puede explicarle cómo colocarla para poder usarla de forma intermitente, en caso de requerirlo (autocateterismo). Casi siempre se suele recomendar hacerlo cada 4 a 6 horas para vaciar la vejiga. Además, el paciente debe recibir información sobre cómo lavar y preservar estas sondas.

5. Pinzas de pene (Clamp de Cunningham)

Este instrumento sujeta la zona exterior del pene y cierra la uretra para evitar el goteo. Tiene el inconveniente de que puede causar erosión de la piel del pene y estrechez de la uretra.

Pinzas de pene

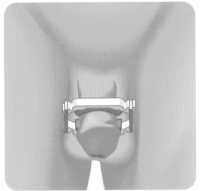

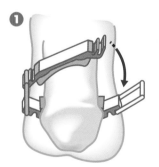

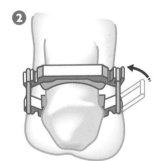

6. Cirugía

Si no existen signos de mejoría y la incontinencia altera en forma definitiva la calidad de vida del paciente, se recomienda la cirugía. Esta solo se debe llevar a cabo entre 12 y 18 meses después de la prostatectomía. Las opciones quirúrgicas se detallan a continuación:

A. Agentes inyectables que aumentan el volumen del cuello vesical

Es un procedimiento menos invasivo. Se realiza mediante sedación o anestesia local y consiste en la inyección de colágeno en el cuello vesical, para producir aumento del volumen de este, que permita que se ocluya parcialmente y disminuya la incontinencia. Las sustancias que se emplean más comúnmente son el colágeno de bovino, el teflón o los polímeros de silicona. Los resultados obtenidos con esta técnica evidencian un 50 % de mejoría parcial y un 30 % de mejoría total inicialmente. Sin embargo, este tipo de material se puede absorber por los tejidos circundantes, por lo que se hace necesaria una nueva inyección. No se recomiendan en pacientes con radioterapia previa.

B. Mallas

Se han desarrollado mallas o cinchas que se colocan por debajo de la uretra para darle soporte y mejorar la continencia. Representan otra de las opciones quirúrgicas para el tratamiento de la incontinencia urinaria, especialmente por la aparición de materiales de nueva generación con menos rechazo y más efectividad, y con las que se reportan tasas de éxito por encima del 80 % y riesgos de complicación de alrededor del 7 %.

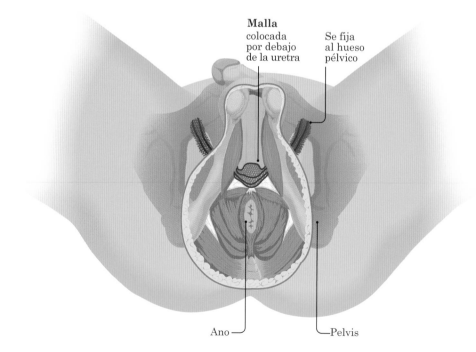

Malla colocada por debajo de la uretra

Se fija al hueso pélvico

Ano

Pelvis

C. Esfínter artificial

Es el más efectivo de los tratamientos para la incontinencia urinaria y consiste en un brazalete de silicona inflable que se coloca alrededor de la uretra. El brazalete que rodea la uretra se llena con una solución líquida. Cuando esta solución no está en el brazalete, permanece en un reservorio que se ubica en la porción inferior del abdomen. Para hacer que el líquido pase desde el reservorio al brazalete, existe una bomba de presión que se coloca en el escroto y que al ser manipulada permite que el líquido se deposite en el brazalete y que se ocluya la uretra, lo que evita la salida de orina. Cuando se tienen deseos de orinar simplemente se manipula nuevamente el dispositivo del escroto, lo que permite que el brazalete se vacíe y libere la obstrucción de la uretra para permitir la salida de la orina.

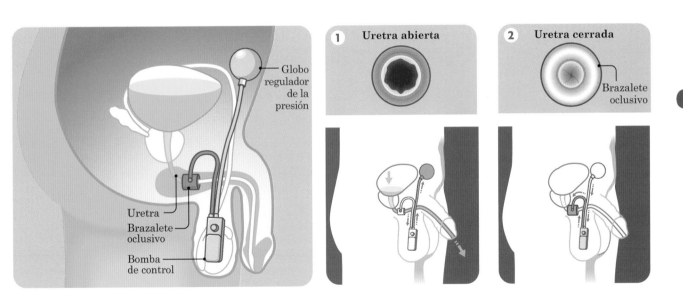

141

D. Marcapasos vesical o neuromodulador

Se implanta en la columna vertebral y genera impulsos eléctricos a los nervios que controlan la vejiga urinaria. Estos impulsos ayudan a reducir las contracciones vesicales involuntarias que causan la incontinencia.

RADIOTERAPIA

La radioterapia consiste en la aplicación de ondas electromagnéticas en forma de rayos X o Y (gamma), o de partículas subatómicas como protones, electrones o neutrones.

Se clasifica en "radioterapia externa", cuando las ondas son liberadas desde un dispositivo externo, y "braquiterapia", cuando las ondas son liberadas desde unas semillas implantadas dentro de la próstata. La cantidad de energía suministrada se mide con una unidad denominada gray.

La radiación actúa mediante dos mecanismos:

Destruye el agua y el oxígeno convirtiéndolos en radicales libres, compuestos que destruyen el ADN de las células. De esta forma las células tumorales no se multiplican, o lo hacen de tal forma que heredan a su descendencia daños genéticos que las harán autodestruirse.

Desencadena ciertas reacciones químicas dentro de las células que conducen a la muerte celular autoprogramada, denominada apoptosis.

Radioterapia externa

Fue empleada por primera vez hace más de 80 años, sin resultados alentadores debido a que en ese entonces la energía que se podía liberar era baja y por lo tanto insuficiente para propósitos curativos.

Sin embargo, en la década de los cuarenta se introdujo una máquina denominada acelerador lineal, utilizada hasta hoy, capaz de liberar mayor energía sin inducir daño excesivo a los tejidos cercanos a la próstata.

Los rayos X se generan al mezclar ondas de electrones de alta energía con el núcleo de un mineral llamado tungsteno. Este aparato revolucionó el empleo de la radioterapia y la convirtió en una de las alternativas curativas para el cáncer de próstata.

Aplicación de la radioterapia

- En el transcurso de cada sesión el paciente se acuesta sobre la mesa y recibe rayos provenientes del acelerador lineal.

- Los rayos son invisibles y no producen ningún dolor durante su aplicación.

Se suministran en sesiones **de 15 a 30 minutos,** cinco días a la semana, durante unas seis o siete semanas, y no se requiere hospitalización durante el tratamiento.

- Para lograr que los rayos emitidos lleguen exactamente a donde se quiere y no lesionen tejidos y órganos sanos vecinos a la próstata, se realiza una simulación computarizada de la pelvis del paciente.

- Recientemente se ha desarrollado una nueva técnica, denominada **radioterapia conformacional, que consiste en reproducir la anatomía del paciente en tres dimensiones,** lo cual permite una mayor liberación de energía con más exactitud y mejor seguridad.

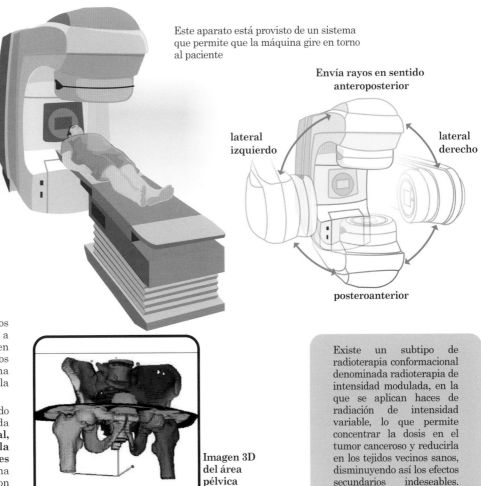

Este aparato está provisto de un sistema que permite que la máquina gire en torno al paciente

Envía rayos en sentido anteroposterior

lateral izquierdo

lateral derecho

posteroanterior

Imagen 3D del área pélvica

143

Existe un subtipo de radioterapia conformacional denominada radioterapia de intensidad modulada, en la que se aplican haces de radiación de intensidad variable, lo que permite concentrar la dosis en el tumor canceroso y reducirla en los tejidos vecinos sanos, disminuyendo así los efectos secundarios indeseables.

Radioterapia con haz de protones

Es un nuevo tipo de teleterapia que no emite ondas electromagnéticas sino un tipo de partículas subatómicas denominadas protones. Gracias a sus propiedades físicas únicas se logra una localización más precisa de la dosis de radiación. Tanto la radioterapia con intensidad modulada como la radioterapia con haz de protones posibilitan la liberación de mayores cantidades de radiación con menores efectos secundarios y mayor posibilidad de cura, y constituyen lo que se denomina radioterapia de alta dosis.

Complicaciones de la radioterapia

La radioterapia no es un procedimiento exento de complicaciones. Estas se han dividido en agudas y crónicas. Las agudas son aquellas que ocurren durante las semanas en que se está administrando el procedimiento o durante las primeras semanas después de haber completado el tratamiento. Se observan en 70% a 80% de los pacientes (aunque son algo menos frecuentes si se emplea la técnica conformacional) y consisten en síntomas urinarios (urgencia de acudir al baño a menudo asociada con incontinencia, ardor al orinar, sangrado con la orina, mayor número de micciones en el día y la noche); y/o síntomas gastrointestinales (diarrea, sangrado con las deposiciones, dolor al defecar). Por suerte, en la mayoría de los casos estos síntomas se resuelven dentro de las primeras semanas después de haber completado el tratamiento.

Las complicaciones crónicas son aquellas que se presentan más lentamente y, a diferencia de las agudas, pueden persistir por tiempo indefinido. Aproximadamente entre 15% y 30% de los pacientes presenta sensación de urgencia asociada a incontinencia urinaria, lo cual puede ser manejado médicamente. En 5% de los casos se observa una persistencia de los síntomas gastrointestinales mencionados entre las complicaciones agudas. Adicionalmente, sobreviene un estado de disfunción eréctil entre 25% y 58% de los pacientes, ocasionado por un daño de las arterias que irrigan el pene, lo cual disminuye el aporte de oxígeno y genera fibrosis en ese órgano. Estos cambios pueden instaurarse lentamente, motivo por el cual la disfunción eréctil puede ocurrir tardíamente y su aparición puede tardar meses o años después del tratamiento.

Efectividad

Reaparición del tumor

50%

30%

Efectividad de la radioterapia

La evaluación de los resultados de la radioterapia muestra que aproximadamente **50% de los pacientes sobrevive después de 15 años, y que el tumor reaparece localmente o con metástasis a distancia en aproximadamente 30% de los casos.**

Radioterapia comparada con la prostatectomía radical

Desgraciadamente, no existen estudios que hayan comparado de manera seria las dos modalidades terapéuticas. Tan solo disponemos de investigaciones hechas a partir de historias clínicas de pacientes intervenidos, que han mostrado que la radioterapia es equivalente a la cirugía en términos de curación de la enfermedad y en efectos secundarios, como disfunción eréctil.

Ventajas de la radioterapia externa sobre la prostatectomía radical

No requiere anestesia. Esto la convierte en la primera elección en aquellos pacientes que padecen enfermedades que aumenten el riesgo quirúrgico (por ejemplo, enfermedades cardíacas o pulmonares significativas).

Ofrece menor riesgo de incontinencia asociada al esfuerzo.

No requiere hospitalización.

No requiere la colocación de una sonda urinaria.

Desventajas de la radioterapia externa sobre la prostatectomía radical

No se extrae la próstata ni los ganglios linfáticos que la rodean. Ello impide que se realice un diagnóstico patológico exacto desde el punto de vista de las características microscópicas del tumor y de su extensión real.

Algunos autores consideran que, por el hecho de no extraerse el órgano, puede haber un mayor riesgo de reaparición de la enfermedad después de muchos años de seguimiento. Se necesitan estudios de seguimiento a largo plazo para verificar esta posibilidad.

La radioterapia genera más síntomas irritativos del intestino y del sistema urinario. Debido a los cambios que genera en el contenido genético de las células, la radiación induce a un aumento del 0,5 % a 1 % en el riesgo de que el paciente presente otro tumor maligno en la pelvis.

Como se dijo, aproximadamente 30 % de los pacientes presenta reaparición del tumor después de la radioterapia. ¿Cómo se diagnostica esto? Desafortunadamente, la recurrencia es generalmente asintomática, de modo que no bastan el examen físico y el interrogatorio. Una opción que se practicó durante muchos años fue realizar rutinariamente una biopsia de próstata luego de la radioterapia con la finalidad de evaluar la reaparición del tumor. Esta alternativa ha caído en desuso por varios motivos:

1. La presencia de células cancerosas en la biopsia no indica que la reaparición del tumor ocurrió exclusivamente a nivel local (dentro de la próstata), pues muchos pacientes con biopsia positiva tienen adicionalmente células tumorales en otras partes del cuerpo (metástasis).

2. Las células tumorales encontradas en la biopsia pueden representar un tejido vivo pero lesionado seriamente por la radioterapia, en proceso de muerte. Como se describió anteriormente, la radioterapia no elimina el tumor de inmediato, sino que lo ataca, de forma que perturba el proceso de crecimiento.

Se ha encontrado que la evaluación del antígeno prostático específico se correlaciona directamente con la posibilidad de que haya reaparecido el tumor y adicionalmente predice si esa recurrencia ocurrió a nivel local o a través de metástasis a distancia, lo que convierte este examen en una herramienta más útil que la biopsia. Por este motivo, el control periódico de los pacientes después de la radioterapia se realiza mediante la medición del APE.

Se espera que después del tratamiento los niveles del APE permanezcan por debajo de 0,5 ng/ml. En los estándares internacionales, se acepta que para declarar que reapareció un tumor después de la radioterapia se requieren tres elevaciones consecutivas del APE por encima de esta cifra. Las variables que permiten determinar si la recurrencia del tumor fue local (dentro de la próstata) o a distancia (metástasis) son: el grado tumoral (Gleason), la velocidad con la cual se eleva el APE y el tiempo transcurrido desde que finalizó la radioterapia hasta que se elevó el APE. En los casos en los que el APE se elevó lentamente y hubo un intervalo largo entre el tratamiento y esta elevación, se puede suponer que el tumor reapareció localmente. Si ocurre lo contrario, es posible deducir que el crecimiento tumoral fue a distancia (metástasis).

Si los hallazgos sugieren que hay metástasis, suele ofrecerse un tratamiento hormonal. Si se presume una enfermedad localizada, existen dos opciones terapéuticas: braquiterapia o prostatectomía radical. La primera consiste en la implantación de semillas radiactivas en la próstata y ha mostrado que erradica los tumores entre 30% y 50% de los pacientes luego de cinco años de seguimiento. La prostatectomía radical de rescate, por su parte, representa una opción que ofrece mejor pronóstico, pues se han descrito resultados en los que se ha logrado erradicar el tumor en 60% de los afectados, después de 10 años de seguimiento, aunque con una alta incidencia de incontinencia urinaria y de disfunción eréctil.

Combinación de radioterapia más hormonoterapia

Cuando el tumor de la próstata es de bajo riesgo (se describe como de estadio T1 -T2a; APE menor o igual a 10 ng/ml, y puntaje Gleason 6 o menos) puede ofrecerse la teleterapia con dosis mayores de 70 grays como único tratamiento, con una elevada posibilidad de éxito. En caso de tumores de riesgo intermedio (se describen como de estadio T2b-T2c; APE entre 10 y 20 ng/ml, y puntaje de Gleason de 7), los estudios han demostrado que es necesario ofrecer hormonoterapia previamente, por espacio de 2 a 4 meses, con el fin de inducir un estado de apoptosis (en el que se programa la muerte celular) que hace más sensible el tumor a la radiación. La hormonoterapia consiste en la supresión de la testosterona con el fin de evitar el estímulo de esta hormona sobre el carcinoma prostático. Se logra suministrando tabletas diariamente o inyecciones mensuales o trimestrales.

Por último, cuando el tumor es de alto riesgo (se describe como de estadio T3 —es decir, con extensión más allá del borde de la próstata pero sin invadir órganos vecinos— APE mayor de 20 o Gleason mayor de 7), es necesario tomar hormonoterapia por espacio de dos a tres años después de terminar la radioterapia, pues ello mejora la sobrevida.

Algunos estudios han mostrado que en pacientes con riesgo intermedio o alto no basta con emitir radiación sobre la próstata, sino que deben irradiarse los ganglios linfáticos, para lograr una reducción de la posibilidad de que el tumor progrese posteriormente. La irradiación de los ganglios, sin embargo, aumenta el riesgo de complicaciones y no ha demostrado beneficios en términos de sobrevida, motivo por el cual no es un tratamiento común.

Radioterapia externa postoperatoria

Estudios recientes han demostrado que es aconsejable suministrar radioterapia después de la prostatectomía radical con dosis de 64 a 66 grays durante 7 a 8 semanas, sobre el lecho donde estaba la glándula, cuando el informe de patología señala bordes positivos. Esto disminuye el riesgo de que el cáncer progrese y cause metástasis. Así mismo, suele ofrecerse en aquellos pacientes operados de prostatectomía radical en los que se observa elevación del APE por encima de 0,2 ng/ml y no se sospecha de enfermedad metastásica.

Radioterapia externa paliativa

Se ofrece en casos de tumores de próstata que han hecho metástasis.

Indicaciones para metástasis

1. *Metástasis ósea:* Cuando el tumor avanza o cuando genera mucho dolor a pesar de la hormonoterapia, puede tratarse con dosis de 8 a 30 grays, lo que beneficia a 80% de los pacientes.

2. *Compresión de la médula espinal:* Cuando la metástasis en la columna comprime la médula existe un riesgo inminente de parálisis de las extremidades inferiores (paraplejia) y debe ofrecerse radioterapia prioritariamente, con dosis de 30 a 40 grays.

3. *Progresión local del tumor:* Cuando el tumor prostático causa obstrucción urinaria o sangrado puede ofrecerse radioterapia con dosis de 30 a 40 grays, con lo que puede lograrse una disminución en el tamaño de la glándula y, por lo tanto, de los síntomas.

Braquiterapia

Consiste en la colocación de fuentes radiactivas dentro de la próstata, lo que permite acortar la distancia entre el tejido a tratar y la fuente de radiación (a diferencia de la radioterapia externa, donde la radiación es enviada por un acelerador lineal situado a algunos metros del paciente) para disminuir los efectos colaterales.

Esta técnica se realizó por primera vez a comienzos del siglo pasado, pero debido a imprecisión en la técnica de implantación, los resultados iniciales mostraron elevadas tasas de efectos indeseables, motivo por el cual fue abandonada.

Durante la década de los setenta renació el interés en esta técnica, en un intento por ofrecer una alternativa a la radioterapia externa, toda vez que esta última también ofrecía altos índices de complicaciones. Con la ayuda de la ecografía se afinó la exactitud con la que se implanta la fuente de radiación, y durante los últimos años se ha mejorado la técnica mediante la ayuda de computadores que aseguran una dosis más exacta y de mayor intensidad.

Hay varios tipos de braquiterapia, según la tasa de dosis de radiación que se administra.

Braquiterapia de baja tasa:
Consiste en el implante permanente dentro de la próstata de múltiples semillas radiactivas del tamaño de la punta de un lápiz, compuestas por iodinio o paladio, dispuestas dentro de una cápsula de titanio. Se implantan típicamente entre 50 a 100, con mayor concentración en la zona periférica de la próstata, donde el cáncer se localiza más a menudo.

Cada semilla emite una baja radiación y el efecto terapéutico depende de la interacción tridimensional de ellas. La dosis total de radiación depende del tipo de semilla empleado.

Braquiterapia de alta tasa:
En este caso se utiliza una sustancia radiactiva que libera mucha radiación en poco tiempo, generalmente iridio 192. El material radiactivo es introducido y retirado en diferentes sitios de la glándula.

Cada sesión de tratamiento dura generalmente entre 10 y 15 minutos. A pesar de que la glándula se expone durante poco tiempo a la radiación, la alta intensidad de la misma y la exactitud con que se libera hacen que la dosis tenga un efecto superior o al menos equivalente al de la braquiterapia de baja tasa.

Técnica de realización de la braquiterapia

Antes de practicar cualquier tipo de braquiterapia, deben realizarse estudios de la configuración de la próstata mediante tomografía computarizada, resonancia magnética o ecografía, con el fin de determinar cuál es la dosis ideal que recibirá el paciente y cuál será la distribución del material radiactivo.

El tamaño de la glándula es importante, pues las mayores de 60 gr dificultan la acción del material radiactivo. Cuando se supera este tamaño, el paciente puede recibir un tratamiento hormonal durante las semanas previas, con el fin de disminuirlo antes de la braquiterapia.

El procedimiento se realiza generalmente con anestesia regional (para insensibilizar una región del cuerpo)

Se coloca a nivel perineal un molde de metal a través del cual se insertan entre 16 y 20 agujas en la próstata

Braquiterapia de baja tasa
Se introducen las semillas radiactivas de una manera simétrica

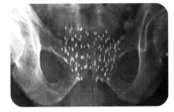

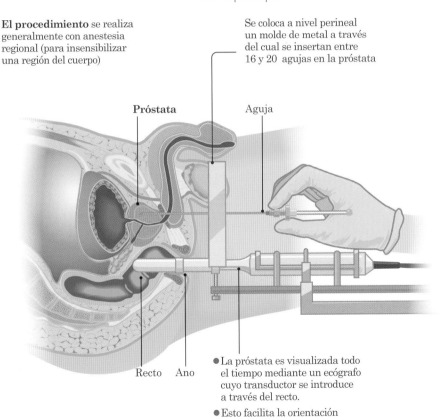

Próstata

Aguja

Recto   Ano

● La próstata es visualizada todo el tiempo mediante un ecógrafo cuyo transductor se introduce a través del recto.

● Esto facilita la orientación de las agujas, así como la aplicación simétrica del material radiactivo.

● Una vez completado el implante, se confirma con estudios imagenológicos que la distribución y dosis del material radiactivo es adecuada.

 El procedimiento tarda una o dos horas, y el paciente es dado de alta el mismo día.

Braquiterapia de alta tasa
Un computador aplica y retira el material radiactivo a través de las diferentes agujas dentro de la próstata. Al finalizar el procedimiento no se dejan semillas implantadas dentro de la glándula.

 Generalmente se realizan dos sesiones de 10 a 15 minutos durante dos días, al cabo de las cuales el paciente es enviado a casa.

Efectos adversos y complicaciones de la braquiterapia

Las semillas de los pacientes que reciben braquiterapia de baja tasa permanecen emitiendo radiación durante varios meses, por lo que los pacientes deben procurar durante ese tiempo evitar acercarse a mujeres embarazadas y niños pequeños.

La dosis emitida es muy baja y no puede afectar a otro tipo de personas. En el caso de la braquiterapia de alta tasa esto no ocurre, porque después del procedimiento no hay emisión de radiactividad.

Durante las semanas posteriores a la braquiterapia el paciente tiene entre 10% y 70% de posibilidades de presentar síntomas irritativos urinarios e intestinales, tales como ardor y urgencia al orinar, aumento del número de evacuaciones diarias, incontinencia, sangrado con la orina y las deposiciones.

Por fortuna, en la mayoría de las veces estas molestias se resuelven espontáneamente. Sin embargo, en un número de entre 5 y 10 de cada 100 pacientes se perpetúan los síntomas indefinidamente, por lo que a menudo es necesario un manejo médico multidisciplinario con la participación de un urólogo y un coloproctólogo.

Entre 4% y 10% de los casos presenta obstrucción urinaria durante los días posteriores a la braquiterapia, la cual obedece a la inflamación de la próstata generada por las semillas.

A largo plazo puede ocurrir también una obstrucción del flujo de la orina, que se presenta entre 3% y 8% de los casos, ocasionada por una estrechez de la uretra como consecuencia de la proximidad de las agujas insertadas y el material radiactivo.

Con el paso del tiempo, entre 30% y 50% de los pacientes presenta disminución progresiva de la calidad de las erecciones. Esto sucede porque los nervios que estimulan la potencia del pene se localizan muy cerca de los bordes laterales de la próstata, de manera que a menudo no quedan exentos de recibir la radiación que se administró a la glándula.

Se han publicado estudios que comparan los efectos adversos de la braquiterapia de alta tasa y de baja tasa, que muestran que esta última ofrece menor riesgo de impotencia, pero igual probabilidad de generar síntomas irritativos a nivel urinario y gastrointestinal.

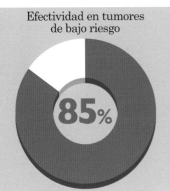

Efectividad en tumores
de bajo riesgo

85%

Eficacia de la braquiterapia para controlar el cáncer de próstata

La información disponible muestra que los resultados obtenidos con la braquiterapia son equivalentes a los de la cirugía radical y la radioterapia externa cuando se trata de tumores de bajo riesgo. En este caso, la posibilidad de que un paciente esté libre de enfermedad después de cinco años es aproximadamente de **85 %**.

Con respecto a tumores más agresivos, la posibilidad de cura es menor que la ofrecida por la radioterapia externa o la cirugía. En estos casos, se puede ofrecer una combinación de braquiterapia más radioterapia externa.

Ventajas y desventajas de la braquiterapia

Las ventajas de la braquiterapia radican en la comodidad con la que puede realizarse el procedimiento y el período de convalecencia. Se practica de manera mínimamente invasiva y casi ambulatoria durante uno o dos días, a diferencia de la radioterapia externa, la cual supone irradiaciones diarias durante unas seis semanas.

Al finalizar el procedimiento, el paciente no presenta heridas de ningún tipo y su recuperación es rápida. Sus limitaciones radican en sus efectos adversos y en su capacidad de cura.

A pesar de que en teoría la aplicación directa de la carga radiactiva dentro de la glándula podría resultar en una menor toxicidad para los órganos vecinos, en la práctica esto no se ha comprobado, y tal como se describió, la incidencia de síntomas urinarios y gastrointestinales, incluyendo incontinencia e impotencia, es significativa. Por otro lado, la posibilidad de erradicar el tumor es limitada cuando este último muestra características de moderada o gran agresividad, tales como un APE mayor de 10, o un gran volumen prostático o un puntaje de Gleason mayor de 7. Esto se puede explicar por el hecho de que la braquiterapia no permite que toda la próstata reciba una carga uniforme de radiación, pues las áreas vecinas a los sitios de implante (llamadas sitios calientes) reciben una mayor dosis que los sitios distantes. Si eventualmente un tumor se localiza distante del área de implante, puede no recibir una radiación adecuada y por tanto puede no ser erradicado.

La braquiterapia es sin duda una opción válida para aquellos tumores localizados con características que hacen suponer que tienen una baja agresividad, sobre todo en los casos en los que es importante la simplicidad de la técnica terapéutica y una corta convalecencia.

151

TRATAMIENTO MÉDICO ONCOLÓGICO

Cuando hablamos del tratamiento médico del cáncer de próstata nos referimos a toda aquella intervención terapéutica farmacológica no relacionada con cirugía ni con radioterapia. Dentro de estas formas de tratamiento destacan la interrupción de la producción de una hormona masculina llamada testosterona, bien sea empleando medicamentos como los análogos de la hormona liberadora de hormona luteinizante (LHRH) o mediante castración quirúrgica definitiva.

Igualmente, existen otros medicamentos conocidos como antiandrógenos, los cuales bloquean los receptores de las sustancias androgénicas. Estos medicamentos, a su vez, se clasifican en esteroideos y no esteroideos. Otros medicamentos de la práctica diaria incluyen los inhibidores de la síntesis de andrógenos suprarrenales, los agentes quimioterapéuticos y más recientemente la terapia biológica, en donde se incluyen las vacunas y las dianas terapéuticas.

Existen otras drogas relacionadas no con el cáncer de próstata, sino con algunas de sus complicaciones más frecuentes, como son las metástasis óseas, y aquí se incluye a los bifosfonatos (utilizados comúnmente en el tratamiento de la osteoporosis) y el Denosumab, el cual es un anticuerpo monoclonal totalmente humano y que también es altamente eficaz en el manejo de esta dolorosa fase de la enfermedad.

Todo este armamento de medicamentos oncológicos debe ser manejado por el especialista en oncología médica, ya que todos ellos tienen ciertos efectos secundarios y el oncólogo médico es el más capacitado para manejar estos eventos adversos.

Indicaciones

La decisión de bloquear la acción de la testosterona suele tomarse cuando existe un diagnóstico de enfermedad prostática avanzada, es decir, cuando se detectan células malignas más allá de la glándula prostática, como en los ganglios o los huesos, dos de los lugares donde las metástasis son frecuentes.

Como ya se indicó, el bloqueo hormonal disminuye e impide la acción de la testosterona en el organismo, con el fin de que las células tumorales mueran por falta de dicha hormona. Es por eso que se trata de un arma terapéutica excelente contra el cáncer de próstata.

El bloqueo hormonal también se puede utilizar cuando la enfermedad está localizada. Esto puede suceder en aquellos pacientes que fueron sometidos a una prostatectomía radical, y en los que, una vez que se extrae la próstata, existen factores de riesgo revelados por exámenes de anatomía patológica, por ejemplo cuando el tumor se extendió más allá de la glándula prostática. Hay otros factores de mal pronóstico, como que los ganglios estén invadidos o que los márgenes resultaran positivos a células cancerosas.

En estos casos, hay un alto riesgo de que la enfermedad reaparezca, por lo que el bloqueo hormonal podría indicarse por un período determinado, de acuerdo con la decisión del urólogo y del médico oncólogo. Esta modalidad se denomina tratamiento hormonal adyuvante.

También se puede aplicar tratamiento hormonal en aquellos pacientes que no son candidatos a cirugía, bien sea porque la enfermedad ya no está localizada solo en la próstata o porque el individuo rechaza la cirugía, o bien si es que se tiene alguna contraindicación médica para ella. Estos casos también pueden ser sometidos a un tratamiento local definitivo, como es la radioterapia pélvica.

El bloqueo hormonal también se puede aplicar junto con la radioterapia y puede durar un período que va desde los seis meses (bloqueo hormonal corto) hasta un máximo de tres años (bloqueo hormonal prolongado).

También se indica en aquellos pacientes con recurrencia bioquímica (aumento del antígeno prostático específico hasta ciertos niveles) después de la cirugía radical o la radioterapia.

Bloqueo hormonal

Una de las estrategias de tratamiento disponibles contra el cáncer de próstata es el bloqueo hormonal. Se basa en el hecho de que las células tumorales son estimuladas para su crecimiento por la testosterona, por lo que la supresión de la acción de esta hormona ayuda a controlar su avance.

El bloqueo hormonal puede lograrse de dos formas

1. Cirugía: Mediante un procedimiento llamado *orquidectomía*, que consiste en la remoción de ambos testículos (órganos que producen la testosterona).

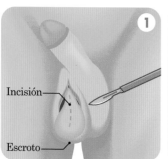
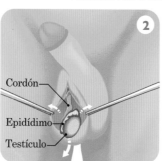
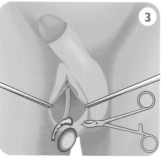
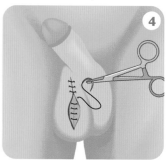

Incisión—

Escroto—

Incisión en el escroto
y en el tejido que recubre
el testículo

Cordón—

Epidídimo—

Testículo—

Se deja expuesto parte
del cordón testicular,
el epidídimo y el testículo

El testículo se extrae, dejando
unido el epidídimo al cordón
testicular

Al finalizar el procedimiento,
se cierra el tejido
del escroto

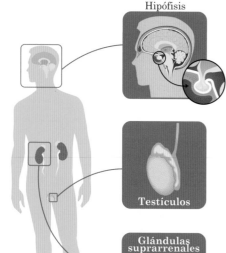

Hipófisis

Testículos

Glándulas
suprarrenales

2. Medicamentos

Con la administración de un análogo de la hormona liberadora de hormona luteinizante (LHRH) que actúa sobre la hipófisis en el sistema neuroendocrino, se logra disminuir progresivamente la estimulación sobre el testículo, y con ello minimizar la producción de la hormona.

Existen medicamentos que se administran por vía oral, llamados antiandrógenos, que actúan bloqueando la acción de la testosterona sobre los receptores androgénicos y que, al combinarlos con los análogos de LHRH, producen lo que se conoce como un *bloqueo hormonal total*.

Con esto se logra, además de una supresión en la síntesis de testosterona, la anulación de la acción de cualquier andrógeno circulante que pueda venir de otra parte del cuerpo, como por ejemplo las glándulas suprarrenales.

Dato

*Se habla de recurrencia bioquímica cuando los niveles del antígeno prostático específico sobrepasan los 0,2 ng/ml en el caso de la cirugía. En el caso de que el paciente haya recibido radioterapia, existen dos criterios: tres elevaciones consecutivas de los niveles del antígeno después de haber alcanzado el **nadir** (el mínimo valor), o que se registren 2ng (nanogramos) por encima del nadir.*

En estas situaciones el paciente debe recibir lo que se denomina un tratamiento de rescate. Cuando se sospecha recurrencia local de la enfermedad, es decir a nivel del lecho operatorio, se debe ofrecer radioterapia de rescate y lo ideal es hacerlo con el valor del antígeno más bajo posible, preferiblemente por debajo de 0,5 nanogramos. En el caso de progresión sistémica, metástasis o duplicación de los niveles de APE en un período corto de 3 a 6 meses, debe considerarse la aplicación de tratamiento hormonal.

Si el paciente recibió radioterapia como tratamiento inicial y hubo recurrencia bioquímica, el médico considerará alternativas como la cirugía de rescate (prostatectomía radical) en aquellos casos en los que haya pocos problemas de salud asociados y una esperanza de vida de al menos 10 años, que el tumor haya sido clasificado como T1-T2, que la suma de Gleason sea menor de 7 y que el APE antes de la operación haya sido menor de 10ng/ml. En caso contrario, deberá considerar como opción la terapia hormonal de rescate u otras maniobras locales.

Medicamentos para el bloqueo hormonal

Una de las opciones farmacológicas es suprimir la síntesis de testosterona con medicamentos análogos de LHRH. Los principales medicamentos disponibles en el mercado son: goserelina (Zoladex®), leuprolide (Lupron Depot®) y triptorelina (Decapeptyl®). Este tipo de medicamentos cumplen un papel similar a la orquidectomía, porque inhiben la producción de testosterona por parte de los testículos a través de su mecanismo de acción a nivel del eje hipotálamo-hipófisis-testículo. Se administran generalmente por vía subcutánea o intramuscular, en forma mensual o trimestral y la duración del tratamiento dependerá de la etapa en que se encuentre la enfermedad del paciente.

Otra posibilidad es el uso de medicamentos antiandrógenos, los cuales van a bloquear la acción de la testosterona circulante a nivel de los receptores androgénicos. El producto más utilizado es la bicalutamida (comprimidos de 50 mg) cuya dosificación es una vez al día. Otro es la flutamida (comprimidos de 250 mg) que se indica 3 veces al día. La adición de un antiandrógeno con castración médica o quirúrgica es lo que se denomina *bloqueo hormonal total*.

Análogos LHRH

Nombre comercial	Composición	Presentación	Vía de administración	Periodicidad
Zoladex	Goserelin	Amp. 3,6mg	Subcutánea (SC)	c/ 28 días
		Amp. 10,8mg	SC	c/ 84 días
Lupron Depot	Leuprolide	Amp. 3,75mg	Intramuscular o SC	c/ 28 días
		Amp. 11,25mg	Intramuscular o SC	c/ 84 días
Decapeptyl	Triptorelina	Amp. 3,75mg	Intramuscular	c/ 28 días

 Dato

Recientemente, en el mercado europeo y norteamericano se han introducido los medicamentos antagonistas LHRH. El nombre farmacológico del antagonista de la LHRH es Degarelix, aprobado por la Food and Drug Administration (FDA) en 2008. La ventaja de este producto es que puede producir niveles de testosterona cercanos a la castración más rápidos que los agonistas LHRH y aparentemente con una toxicidad mínima.

Bloqueo hormonal intermitente

Debido a los efectos indeseables producidos por la administración prolongada del tratamiento hormonal, se desarrolla la idea del bloqueo hormonal intermitente. La intención es mejorar la calidad de vida del paciente, evitando la acumulación de los efectos adversos del tratamiento continuo sin comprometer la eficacia.

El *bloqueo hormonal intermitente* es la administración interrumpida de análogos LHRH y de antiandrógenos. El lapso en que se aplicarán lo determina el médico, y regularmente es un período que va desde los 6 meses a los 9 meses, luego de lo cual se suspende el tratamiento hormonal, siempre y cuando se logre llevar los niveles de antígeno prostático específico a su valor más bajo y no haya síntomas relacionados con la enfermedad. El escenario ideal para la administración de esta maniobra terapéutica es en el paciente con enfermedad avanzada que necesita tratamiento continuo e indefinido.

Luego de esto se empiezan a hacer determinaciones de antígeno prostático específico y de niveles de testosterona cada 12 semanas. Una vez que el paciente presente valores de APE según lo ha determinado el médico, se debe volver a iniciar el tratamiento hormonal.

La condición ideal para aplicar el bloqueo hormonal intermitente es cuando los niveles de testosterona se eleven primero que los valores del antígeno prostático.

157

Dato

¿Cuál es el valor que se utiliza para volver a comenzar el bloqueo hormonal? En la práctica diaria no hay un valor estándar que lo determine. Existen dos posibilidades: una toma como medida que el antígeno prostático específico llegue al 50% del valor inicial antes de que se iniciara el primer bloqueo. Ejemplo: si un paciente empieza el bloqueo hormonal con un APE de 20ng/ml y este alcanza el valor de 0 (cero) se reinicia el bloqueo hormonal cuando el APE llegue a 10ng/ml, que es el 50%. La otra posibilidad acepta como una medida estándar un aumento entre 5 a 10ng/ml de APE independientemente del valor inicial.

Una vez que el paciente tenga el APE predeterminado en los valores indicados por el médico, entonces se reinicia el tratamiento como la primera vez, con un período que va entre 6 y 9 meses o hasta que se logre el máximo descenso del APE y así se va haciendo sucesivamente.

Usualmente los períodos de descanso del bloqueo hormonal intermitente van disminuyendo con el tiempo, es decir, que la primera vez que se suprime la terapia hormonal la mayoría de las veces el período de descanso sin tratamiento es mayor; y a medida que se van haciendo diferentes ciclos de bloqueo hormonal intermitente, los períodos de descanso suelen ser más cortos.

Se considera que el tratamiento intermitente es una opción válida en aquellos pacientes con enfermedad avanzada con poco volumen tumoral y con una enfermedad comprobada hormonosensible. También está demostrada la eficacia del bloqueo hormonal intermitente en la enfermedad bioquímica recurrente después de falla al tratamiento local.

Hormonorresistencia

En ciertas etapas de la enfermedad, los pacientes con cáncer de próstata que están bajo tratamiento de bloqueo hormonal pueden presentar una falta de respuesta al tratamiento. Esto ocurre con frecuencia en los pacientes que reciben durante varios meses, e incluso años, un medicamento análogo de la LHRH y un medicamento antiandrógeno.

La condición se manifiesta con la elevación del antígeno prostático específico después de que este ya había estado controlado con niveles cercanos a cero.

Si el valor del marcador tumoral experimenta tres elevaciones consecutivas en un lapso de 1 mes entre los controles, se considera que hay una falla en el tratamiento hormonal, y el médico oncólogo está obligado a buscar alternativas terapéuticas para el paciente.

También se habla de hormonorresistencia cuando hay enfermedad progresiva clínicamente bajo un tratamiento hormonal.

Para que el médico pueda hablar de hormonorresistencia, tiene que estar seguro de que el paciente esté cumpliendo con su medicación oral y de que se esté administrando correctamente el análogo LHRH. Esto fácilmente se puede comprobar haciendo una determinación de los niveles de testosterona.

Efectos adversos del bloqueo hormonal

Si bien el tratamiento hormonal puede poner el cáncer bajo control, también puede causar efectos secundarios desagradables, entre los que están: sofocos de calor, anemia, depresión, letargo, osteoporosis, inflamación, sensibilidad y crecimiento de los pechos (*ginecomastia*), disfunción eréctil y síndrome metabólico. Por esta razón, el médico oncólogo es quien debe dirigir el tratamiento hormonal, identificando y manejando estas complicaciones cuando se presenten.

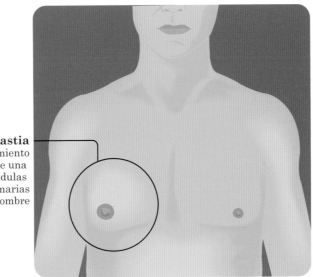

Ginecomastia
Agrandamiento
patológico de una
o ambas glándulas
mamarias
en el hombre

Terapia hormonal secundaria

Como se mencionó anteriormente, en algún momento los niveles de APE comienzan a subir a pesar del tratamiento hormonal. Esto indica que la terapia hormonal ya no es efectiva para reducir los niveles de testosterona en el cuerpo. Cuando esto sucede, los médicos pueden decidir hacer cambios a la terapia hormonal. Esto se llama *terapia hormonal secundaria* o *manipulación hormonal*. Se puede hacer de varias maneras; por ejemplo, si el paciente ha tenido una cirugía para extirpar los testículos, su médico puede sugerirle que comience a tomar un antiandrógeno. Si usted ha estado utilizando la terapia de combinación que implica un antiandrógeno y análogos de LHRH, su médico puede detener el uso del antiandrógeno.

Otra opción es cambiar el tipo de medicamento hormonal. Sin embargo, el uso de un fármaco de la LHRH se debe continuar para mantener la testosterona a nivel de castración.

Acetato de abiraterona (Zytiga®): Este es un nuevo medicamento antiandrógeno. Funciona debido a que disminuye la producción de la hormona masculina testosterona, que promueve el crecimiento del tumor. Está indicado en el tratamiento del cáncer de próstata avanzado en combinación con prednisona; en casos de cáncer de próstata con progresión, durante el tratamiento con docetaxel o después de haber terminado un régimen completo. La supervivencia global aumentó en 3,9 meses, según un reciente estudio clínico (14,8 meses para abiraterona frente a 10,9 meses para el placebo) que fue aprobado por la FDA en abril de 2011.

Ketoconazol: Es un agente antimicótico. A dosis altas inhibe la formación de testosterona por parte de las glándulas suprarrenales y de los testículos. Las tasas de respuesta van de un 20% a 40% con efectos secundarios significativos, entre los que sobresale la insuficiencia suprarrenal, para lo cual se emplea la hidrocortisona administrada de manera simultánea para prevenir este significativo efecto secundario.

Dietilestilbestrol (DES): Inhibe la síntesis testicular de testosterona. Rara vez se utiliza hoy en día debido a sus graves efectos secundarios.

Enzalutamide: Anteriormente conocido como MDV3100, es un nuevo fármaco antagonista de los receptores de andrógenos. En agosto de 2012, la Food and Drug *Administration* (FDA) lo aprobó para el tratamiento del cáncer de próstata resistente a la castración.

 Dato

*Al síndrome metabólico o síndrome plurimetabólico también se le conoce como síndrome de resistencia a la insulina. Se caracteriza por **insulinorresistencia e hiperinsulinismo**, cifras altas de presión arterial, alteraciones lipídicas (triglicéridos elevados, descenso del colesterol bueno –conocido como HDL–, aumento del colesterol malo –conocido como LDL–, aumento de ácidos grasos libres y de **lipemia postprandial**) y obesidad, con lo que se incrementa el riesgo de ateroesclerosis y morbilidad cardiovascular.*

Nuevos agentes oncológicos para tratar el cáncer de próstata avanzado

Provenge® (sipuleucel-T): Se trata de una "vacuna" para el cáncer de próstata avanzado. Se trata de una terapia inmune creada por la recolección de células inmunitarias de un paciente, las cuales se manipulan mediante ingeniería genética y después se transfunden de nuevo en el paciente. Está aprobado solo para el tratamiento de pacientes con pocos o ningún síntoma de cáncer de próstata cuyo cáncer se ha diseminado fuera de la próstata y ya no es sensible a la terapia hormonal. De acuerdo con un estudio clínico reciente, con su uso se ha incrementado la supervivencia en una mediana de 4,1 meses.

El tratamiento implica primero la extracción de una cantidad de glóbulos blancos de la sangre del paciente, los cuales están invadidos por porciones del tumor. Estas células se manipulan en laboratorio para que el sistema inmune las reconozca como agresoras y las ataque.

Una vez que esos productos sanguíneos ya están activados, se envían de nuevo al médico tratante para que se transfunda de nuevo al paciente. Esto se hace tres veces en un mes. La primera infusión prepara el sistema inmunológico del paciente; la segunda y la tercera dosis ya producen una respuesta inmune contra todas las células del cuerpo que contengan parte del tumor canceroso.

El efecto secundario más común son los escalofríos, lo que ocurre en más de la mitad de los hombres que reciben Provenge®. Otros efectos secundarios comunes incluyen fatiga, fiebre, dolor de espalda y náuseas. Estos efectos adversos suelen aparecer en los primeros días de tratamiento. Además, los ensayos clínicos sugieren que este tratamiento podría estar vinculado a un ligero aumento del riesgo de eventos cardiovasculares.

Quimioterapia

La quimioterapia en los casos de cáncer de próstata únicamente está indicada en aquellos pacientes con cáncer de próstata avanzado que sean hormonorresistentes, es decir, cuando ya han fracasado el tratamiento hormonal y otras estrategias similares.

Consiste en la administración de drogas por vía intravenosa o por vía oral. Estas drogas entran en el torrente sanguíneo y alcanzan todo el organismo, por lo que este tratamiento es potencialmente eficaz en los casos en los que ha habido metástasis.

Entre los medicamentos que se utilizan para la quimioterapia de acuerdo con lineamientos de la *Food and Drug Administration* (FDA) está el docetaxel, el principal medicamento disponible hoy en día. A mediados de 2010, se aprobó el fármaco cabazitaxel como medicamento de segunda línea. Finalmente hay un tercer medicamento, el mitoxantrone, cuyo uso se recomienda para mejorar la calidad de vida de los pacientes, ya que se ha visto que mejora el dolor producto de la metástasis ósea, en casos de cáncer de próstata avanzado y hormonorresistente.

Ahora se está evaluando la eficacia de la quimioterapia en etapas más tempranas de la enfermedad, como es en aquellos casos de enfermedad localizada de alto riesgo o en situaciones previas a la cirugía (esto último se conoce como *quimioterapia neoadyuvante*). Los resultados aún no están disponibles, por lo que su aplicación debe ser individualizada y aplicada por ahora solo en centros de excelencia en investigación.

Efectos secundarios de la quimioterapia

Dependen sobre todo del tipo de droga usada, de la dosis y de la duración del tratamiento. Los efectos secundarios temporales son náuseas y vómitos, anorexia, alopecia y lesiones bucales (mucositis). Debido a que la quimioterapia afecta la producción de sangre en la médula ósea, el recuento de células sanguíneas puede ser bajo. Por la disminución de leucocitos, aumenta la probabilidad de infecciones; por la disminución de las plaquetas, puede haber hemorragias importantes aun con pequeñas heridas, y por la disminución de glóbulos rojos, cansancio. La mayoría de estos efectos desaparece cuando se suspende el tratamiento. Hay medicamentos para calmar estos efectos secundarios temporales, como los antieméticos y drogas que estimulan la producción de células sanguíneas tanto para los glóbulos blancos como para la hemoglobina.

Manejo de las metástasis óseas

Como ya se dijo anteriormente, existen dos clases de medicamentos para el manejo sintomático de la enfermedad ósea. El primero de ellos y el más conocido en la práctica diaria es el ácido zolendrónico (Zometa®). Este medicamento se administra por vía intravenosa cada 28 días y tiene como función aliviar los síntomas del dolor producido por la metástasis en los huesos, así como disminuir el número de eventos óseos adversos como las fracturas, el uso de radioterapia paliativa en los huesos, disminución en la cantidad de analgésicos, etc.

El otro medicamento, recientemente aprobado por la FDA, es el denosumab (Xgeva®). Este medicamento es un anticuerpo monoclonal totalmente humano; se administra por vía subcutánea también cada 28 días, y es ligeramente superior al ácido zolendrónico, aunque también mucho más costoso.

TINEDO GUÍA, comunicador social

Un control que asegura la vida

"La palabra *cáncer* es uno de esos vocablos que deseamos mantener lo más lejos posible de nuestras vida, pero… ¿qué hacemos para que no resuene en nuestros oídos como una hecatombe? Cuando el diagnóstico luego de una biopsia es ese, nos preguntamos: ¿por qué a mí?

"En mi caso respondí: tengo antecedentes familiares de la enfermedad y tengo que enfrentarlo. Yo era un candidato seguro para padecerla. Por esa razón, mantenía anualmente mi chequeo médico general, lo que se conoce comúnmente como un tutorial, que incluye ultrasonido, tacto rectal y antígeno prostático. En mi caso, la biopsia confirmó el diagnóstico y, con esos datos, el Dr. René Sotelo determinó que había que realizar una prostatectomía radical. Tomada la decisión, se practicó la intervención de cirugía robótica, mínimamente invasiva, en el Instituto Médico La Floresta. Con el equipo médico liderado por el Dr. Sotelo, realmente las mejores manos a las que podía someterme, por su preparación profesional y la gran experiencia que en este tipo de intervenciones quirúrgicas posee, hoy puedo decir con toda propiedad que el diagnóstico a tiempo logró erradicar el adenocarcinoma en próstata que padecía y que la recuperación en tan solo tres semanas de operado me permitió regresar con mayores ánimos y entusiasmo a mis labores cotidianas. Siguiendo al pie de la letra las recomendaciones médicas, voy recuperando todas las funciones fisiológicas normales en los varones.

"A quienes lean este testimonio, especialmente a mis amigos, les recomiendo el examen de próstata para ganarle a esta enfermedad silenciosa. Justamente por esa condición, las mujeres deben insistir con sus parejas en que se realicen el despistaje de esta enfermedad.

"Yo estoy curado y agradezco a Dios haberme puesto en el camino de una eminencia en el campo de la cirugía robótica mínimamente invasiva, como lo es en la especialidad de urología el Dr. Sotelo.

"Mi agradecimiento eterno a él y a su equipo de médicos altamente preparados".

> *Puedo decir con toda propiedad que el diagnóstico a tiempo logró erradicar el adenocarcinoma en próstata que padecía y que la recuperación en tan solo tres semanas de operado me permitió regresar con mayores ánimos y entusiasmo a mis labores cotidianas*

163

¿CÓMO TENER UNA SEGUNDA OPINIÓN?

Dr. René Javier Sotelo Noguera
Dr. Rafael Andrés Clavijo Rodríguez

¿CÓMO TENER UNA SEGUNDA OPINIÓN?

Razones para buscar una segunda opinión

Es normal que, al recibir una noticia desagradable o inesperada, tengamos la sensación de que es necesario confirmarla por otros medios, quizá en espera de noticias más agradables. También buscamos compartirla con nuestros allegados para que sepan la situación a la que nos estamos enfrentando y para conocer las experiencias de quienes ya vivieron algo similar. Es entonces cuando buscamos lo que se entiende como una segunda opinión.

Informarse por cuenta propia

Búsqueda en Internet

Hoy en día es más fácil para todos los pacientes tener una segunda opinión o informarse por medios propios acerca de su padecimiento y su tratamiento, y el amplio acceso a Internet se ha convertido en la primera herramienta para esto. Es de suma importancia que usted esté muy bien informado acerca de lo relacionado con su enfermedad y su probable tratamiento. Sin embargo, también debe saber que hasta la fecha no hay ningún tipo de regulación para crear páginas web ni para validar su contenido, por lo que se corre el riesgo de consultar páginas que no contengan la información apropiada y que, más que orientar, lo puedan confundir y preocupar.

En el caso de las búsquedas relacionadas con temas de salud, lo más recomendable es buscar en páginas web de universidades, de hospitales reconocidos, de bibliotecas nacionales o de algunas otras instituciones que se distingan por la investigación científica y las actividades académicas que realizan. Al tener el respaldo de esas organizaciones, las páginas seguramente cuentan con el apoyo de profesionales de trayectoria y encontraremos también allí datos sobre sus reconocimientos y sus capacidades. En estas páginas hallaremos información que se apega a la realidad científica y que nos brindará orientación útil y confiable para tomar decisiones.

Familiares y amigos

Hay ocasiones en que nuestros allegados se preocupan por nuestra situación tanto o más que nosotros mismos. Para ellos y para nosotros es importante conocer y discutir sobre nuestro estado de salud y las opciones con las que contamos. Más que pedirles una segunda opinión, es necesario compartir y escuchar experiencias semejantes a las nuestras.

No es agradable recibir la noticia de que se es portador de cáncer, pero brinda cierta tranquilidad cuando uno lo comunica y se da cuenta de que a nuestro alrededor hay mucha gente cercana que ya lo ha padecido y que lo ha superado. Es como cuando uno se decide a comprar un carro y, el día que lo tiene, se da cuenta de que el mismo carro está en casi cualquier lugar. Al compartir nuestra experiencia, nos damos cuenta de que no somos los únicos en esta situación y nos enteramos de todos los amigos que ya han pasado por esto. Compartir opiniones nos nutre emocionalmente; los consejos resultan invaluables y nos ayudan a enfrentar la situación de una mejor manera.

La mayoría de las veces este tipo de opinión carece de fundamentos científicos y se basa solo en las experiencias acumuladas en el círculo de personas cercanas. Cada caso es distinto y la evolución y el desenlace dependen de muchos factores, como la edad de los pacientes, el tipo y la localización del cáncer, así como de las características del tratamiento y la experticia del médico tratante.

El médico de cabecera o médico de la familia

Esta situación no es rara. La mayoría de las familias tiene algún médico de cabecera que frecuentemente orienta sobre algunos padecimientos, aunque estos no sean los de su especialidad. Este tipo de opiniones pueden ser de las más adecuadas porque al mismo tiempo que el médico tiene el interés, el afecto y la confianza para ayudar, también tiene conocimientos científicos e información sobre el desempeño de los mejores especialistas, así que es capaz de brindar buenas opiniones y excelentes recomendaciones.

Consultar otro médico

Hoy en día todos los pacientes exigimos información más detallada sobre nuestras enfermedades y sabemos que tenemos el derecho de recibir una opinión adicional de parte de otro profesional. El hecho de buscar a otro médico para presentarle nuestro caso no significa que estemos descalificando al médico que nos dio la primera noticia. Al contrario, estamos inquiriendo lo que más le conviene a nuestro estado de salud y lo que se traduce en mayor bienestar.

Para empezar, debemos buscar un médico especialista que se dedique casi exclusivamente a la enfermedad que nos aqueja, que tenga una trayectoria médica exitosa comprobable y que pertenezca a las sociedades médicas y colegios científicos que rigen la práctica profesional de su especialidad.

Para lo anterior, podemos tomar en cuenta las experiencias y las opiniones de nuestros allegados. Por supuesto, también podemos consultar información en directorios médicos especializados o en Internet, con el fin de conocer el currículum y la experticia del médico al que hemos decidido acudir.

Una vez que solicitamos una consulta, es preciso elaborar una lista de las preguntas que haremos, en orden de importancia, procurando que estas incluyan las interrogantes que tengamos sobre la variedad de tratamientos disponibles para nuestra enfermedad, con sus riesgos y beneficios. Siempre es bueno preguntar qué puede pasar si decidimos no recibir uno u otro tratamiento.

A la consulta debemos llevar los récipes con los nombres de los medicamentos que hemos recibido y los tratamientos que se nos han indicado; igualmente, todos los exámenes que se nos han realizado, para que el especialista pueda emitir una opinión veraz y completa.

Puede solicitarle material impreso o audiovisual que le ayude a entender mejor su caso e incluso puede pedirle participar en un grupo de apoyo con otros pacientes. Todo esto tiene la intención final de lograr una decisión correcta e informada sobre nuestra salud. Probablemente esta segunda opinión sea la más importante y la más benéfica para nosotros.

¿Quién tiene la razón? ¿A quién debemos creerle?

Definitivamente, será más confiable la opinión que esté respaldada por el conocimiento científico vigente, al mismo tiempo que despeje todas nuestras dudas y que cumpla con nuestras expectativas personales y familiares; que facilite la mejora del padecimiento, que tome en cuenta nuestro estado de salud actual y que muestre preocupación por que este se conserve con una calidad de vida digna, sin sacrificar las actividades fisiológicas, laborales y sociales.

Si se escoge una buena segunda opinión, difícilmente habrá necesidad de una tercera.

Fuentes de información recomendadas

http://keck.usc.edu/en/Education/Academic_Department_and_Divisions/Department_of_Urology.aspx
Es la página oficial del Departamento de Urología de la Universidad del Sur de California, una de las más prestigiadas del mundo entero. Ofrece temas educativos para médicos y pacientes, información de los últimos avances científicos en el área de la Urología, el perfil profesional de los médicos especialistas y sus datos de contacto.

www.doctorarriaga.com
En ella encontrará información reciente y de fácil comprensión, acerca de las principales enfermedades urológicas y de sus tratamientos. Dirigido al público médico y no médico, con ligas de acceso a otras páginas de difusión científica. Ofrece los datos de contacto del Dr. Juan Arriaga y de sus actividades científicas y profesionales desarrolladas en diversos hospitales mexicanos.

www.doctorsotelo.com
Página del Dr. René Sotelo, con información para pacientes acerca de las enfermedades urológicas más frecuentes, su diagnóstico y tratamiento, así como sobre temas de salud en general.
Sea partícipe de los nuevos procedimientos y las mejores prácticas en urología gracias al compendio visual de las intervenciones laparoscópicas con mínima invasión, algunas de ellas asistidas por robot, disponibles en este portal; y gracias, además, al acceso a artículos científicos publicados en revistas especializadas.
Información disponible en inglés y en español. ·

http://www.urologyhealth.org/espanol/
Página oficial de la Fundación de la Asociación Americana de Urología con información acerca de las diferentes enfermedades urológicas, causas, métodos de prevención, diagnóstico y tratamiento, entre otros temas.

http://www.uroportal.net/uro-pacientes/index.php
Portal de información urológica en español para pacientes. Contiene temas de interés de las principales enfermedades urológicas en hombres y mujeres. Proporciona fácil acceso a diferentes textos médicos, guías clínicas y sociedades urológicas.

http://www.caunet.org//institucion/sociedades
Página oficial de la Confederación Americana de Urología en donde tendrá acceso a las principales sociedades urológicas iberoamericanas. Cada una de ellas facilita información sencilla para pacientes e igualmente brinda información de interés, artículos científicos, preguntas frecuentes y formas de contacto.

http://www.uroweb.org

Página oficial de la Asociación Europea de Urología. Página en idioma inglés con acceso a las guías clínicas para diagnóstico y tratamiento de las enfermedades más comunes en urología. Acceso a portales de interés para ampliar sus conocimientos acerca de las enfermedades en urología.

http://www.ttmed.com/urology/latam/

Página de acceso gratuito a artículos científicos de revistas especializadas que tratan acerca de las enfermedades urológicas más frecuentes. Permite el ingreso a conferencias, videocirugías, entrevistas y casos clínicos, entre otros servicios.

http://www.nci.nih.gov/espanol

Proporciona información científica actualizada y veraz en español, originada en el Instituto Nacional del Cáncer de Estados Unidos.

http://videosurologia.blogspot.com/

Página que muestra videos gratuitos que explican un gran número de procedimientos diagnósticos y terapéuticos para las diferentes enfermedades urológicas.

http://www.cancer.org

Página oficial de la Sociedad Americana del Cáncer, donde encontrará información relacionada con los beneficios, los riesgos y los efectos secundarios de la quimioterapia y la radioterapia para los diferentes tipos de cáncer. Idioma inglés.

http://www.kidney.niddk.nih.gov

Página del Centro de Información sobre Enfermedades Renales y Urológicas. Ofrece la información más relevante sobre enfermedades nefrológicas y urológicas, incluidas la incontinencia urinaria, la disfunción sexual y la insuficiencia renal, entre otras.

http://nlm.nih.gov/medlineplus/healthtopics.html

Página de la Biblioteca Nacional de Medicina. Brinda información sobre temas de salud en general, diccionario de términos médicos, enciclopedia de la salud e información de medicamentos, entre otras cosas.

http://www.nccn.org

Es la página oficial de 19 centros internacionales especializados en cáncer. Proporciona información detallada para pacientes y guías actualizadas de diagnóstico y tratamiento para personal profesional de la salud.

http://www.prostatecancerfoundation.org

Es la organización filantrópica más grande del mundo dedicada a la investigación del cáncer de próstata. En ella encontrará información sobre los nuevos descubrimientos para el diagnóstico y tratamiento de la enfermedad, así como la información necesaria para hacer donaciones en favor de la investigación de dicha enfermedad.

Autores invitados

Dr. Hernán Alonso Aponte Varón

Profesor asociado de la Cátedra de Urología Fundación Universitaria de Ciencias de la Salud. Facultad de Medicina. Jefe del Servicio de Urología, Hospital de San José, Bogotá D.C., Colombia.

Dr. Rafael Andrés Clavijo Rodríguez

Urólogo diplomado en Sexualidad Clínica. *Fellowship* 2011-2012 de la Endourological Society en Urología Laparoscópica y Robótica en el Centro de Cirugía Robótica y de Invasión Mínima (CIMI) del Instituto Médico La Floresta, Caracas, Venezuela.

Dr. José Luis Gaona Morales

Urólogo adscrito a Uromédica, Bucaramanga, Santander, Colombia. *Fellowship* de Urología Laparoscópica y Robótica en el Centro de Cirugía Robótica y de Invasión Mínima (CIMI) del Instituto Médico La Floresta, Caracas, Venezuela. Profesor titular de la Cátedra de Urología en la Universidad Industrial de Santander, Bucaramanga, Colombia.

Dr. Camilo Andrés Giedelman Cuevas

Urólogo. *Fellowship* 2010-2011 de la Endourological Society en Urología Laparoscópica y Robótica en el Centro de Cirugía Robótica y de Invasión Mínima (CIMI) del Instituto Médico La Floresta, Caracas, Venezuela.

Dr. Eudo José Herrera Morillo

Cirujano urólogo adscrito al Hospital Adolfo Pons, Instituto Venezolano de los Seguros Sociales, Maracaibo, Venezuela. *Fellowship* 2009 de Urología Laparoscópica y Robótica en el Centro de Cirugía Robótica y de Invasión Mínima (CIMI) del Instituto Médico La Floresta, Caracas, Venezuela.

Dra. Vanda Daniela López Günther

Uróloga urodinamista. Especialista y docente en la Unidad de Urodinámica y Andrología, Servicio de Urología, Hospital Universitario de Caracas. Médico adjunto al Servicio de Urodinamia de la Unidad de Urología del Instituto Médico la Floresta.

Dra. Ylbia Madrid de Roosen

Anatomopatóloga. Laboratorio de Patología Quirúrgica del Instituto Médico La Floresta, Caracas, Venezuela.

Dra. Jeannette Potts

Médico internista adscrita al Departamento de Urología, Case Western Reserve University, School of Medicine, Cleveland, Ohio, EE.UU.

Dr. José Gregorio Saavedra Dugarte

Urólogo adscrito al Instituto Autónomo Hospital Universitario de Los Andes, Mérida, Venezuela. *Fellowship* de la Universidad Santa María 2010 de Urología Laparoscópica y Robótica en el Centro de Cirugía Robótica y de Invasión Mínima (CIMI) del Instituto Médico La Floresta, Caracas, Venezuela.

Dr. Mario José Saldaña Guajardo

Urólogo oncólogo adscrito a la Unidad Médica de Alta Especialidad del Instituto Mexicano del Seguro Social, Monterrey, Nuevo León, México. *Fellowship* 2010 de Urología Laparoscópica y Robótica en el Centro de Cirugía Robótica y de Invasión Mínima (CIMI) del Instituto Médico La Floresta, Caracas, Venezuela.

Dr. Carlos Sucre Márquez

Oncólogo médico adscrito al Servicio de Oncología Médica del Instituto Médico La Floresta, Caracas, Venezuela.

Dr. Anthony Laurence Zietman

Radioterapeuta oncólogo adscrito al servicio de Oncología Genitourinaria, Massachusetts General Hospital, Boston, Massachusetts, EE.UU. Director asociado del programa de residencia en Radioterapia Oncológica, Harvard Medical School, Boston Massachusetts, EE.UU.

Notas

Notas

Notas

_____

_____

_____

_____

_____

_____

_____

_____

_____

_____

Notas

Notas

Notas

_____

_____

_____

_____

_____

_____

_____

_____

_____

_____

Doctor Inderbir S. Gill

Director ejecutivo fundador del Instituto de Urología de la Universidad del Sur de California. Decano asociado de la Escuela de Medicina Keck en Los Ángeles, California. Cirujano innovador reconocido como el líder mundial en la cirugía laparoscópica y robótica avanzada para todas las variedades de cáncer urológico. Referente internacional con grado académico de Maestro de la Cirugía por sus numerosos aportes en la investigación, diagnóstico y tratamiento de las enfermedades urológicas, con múltiples reconocimientos por las más prestigiosas universidades.

Doctor Raed A. Azhar

Miembro del Colegio Americano de Cirujanos y del Colegio Real de Cirujanos de Canadá. Profesor clínico adjunto de Urología en la Universidad del Sur de California, donde realizó el entrenamiento en cirugía laparoscópica y robótica avanzada y donde ha participado como autor de numerosos trabajos científicos en el área de la urología. Académico docente en la Universidad King Abdulaziz en Arabia Saudita, actualmente es considerado el líder de la cirugía urológica robótica en el Medio Oriente.

Este libro va dirigido a público no médico. Está escrito en un lenguaje sencillo y acompañado de ilustraciones diseñadas especialmente para cada capítulo. Procuramos informarle sobre las enfermedades que pueden presentarse en la próstata, desde el crecimiento benigno hasta la inflamación y el cáncer, así como las más novedosas alternativas de diagnóstico y tratamiento para cada una de ellas.

Para la ejecución de este proyecto, han participado expertos urólogos, oncólogos, radioterapeutas y médicos anatomopatólogos de diferentes universidades nacionales e internacionales. De Colombia, los doctores Hernán Alonso Aponte Varón, José Luis Gaona Morales, Rafael Andrés Clavijo y Camilo Andrés Giedelman. De Venezuela los doctores Carlos Sucre Márquez, José Gregorio Saavedra, Eudo José Herrera Morillo, Vanda Daniela López Günther e Ylbia Madrid de Roosen. De Estados Unidos, los doctores Jeannette Potts y Anthony Laurence Zietman; y de México, los doctores Mario José Saldaña Guajardo y Juan Arriaga Aguilar, de quien obtuvimos una colaboración especial como coautor principal.

Dr. René Sotelo

Creo que lo que el Dr. Sotelo pretende en definitiva es que usted, lector (o lectora, porque son las mujeres las que siempre prestan mayor atención a la salud de los hombres a los que aman), vea sin tabúes la necesidad de hacerse controles periódicos para prevenir el cáncer de próstata, que es una de las principales causas de muerte en los hombres. Para ello recurre a este título cargado de humor, con el objeto de que aprendamos a reírnos de nuestras adversidades como vía para tomar conciencia de ellas y no descuidarnos.

El libro que usted tiene en sus manos, querido lector, puede literalmente salvarle la vida. Es producto de años de investigación del Dr. Sotelo y de su equipo. Recoge una amplia experticia médica basada en los innumerables casos que le ha tocado atender. Sin duda este libro, como el humor, le ayudará a vivir una vida mucho más plena y feliz. Vaya de inmediato al índice y se dará cuenta.

Laureano Márquez

ISBN: 978-980-7774-00-0